A-Z

MARGATE RAMSGATE
CANTERBURY

Reference

A Road	A28	Residential Walkway	··········
Under Construction		Railway — Tunnel / Station / Level Crossing	
B Road	B2052	Built Up Area — HIGH STREET	
Dual Carriageway		Local Authority Boundary	— · —
Tunnel	A299	Posttown Boundary	———
One Way Street — Traffic flow on A Roads is also indicated by a heavy line on the drivers' left	→	Postcode Boundary within Posttown	———
Pedestrianized Road		Map Continuation	8
Restricted Access		Car Park selected	P
Track & Footpath			

Church or Chapel	†
Cycle Route	🚲
Fire Station	■
Hospital	H
House Numbers — A & B Roads only	79 / 24
Information Centre	ℹ
National Grid Reference	635
Police Station	▲
Post Office	★
Toilet — with facilities for the Disabled	▽ / ♿

Scale 1:15,840

0 — ¼ — ½ — ¾ Mile
0 — 250 — 500 — 750 Metres — 1 Kilometre

4 inches to 1 mile or 6.31 cm to 1 km

NORTH SEA

WESTGATE ON SEA

Westbrook

St. Mildred's Bay

Children's Pool

Westgate Bay

stgate Bay

WESTBROOK PROMENADE

ESPLANADE

The Gardens

St. CLEMENTS SCH.

ROWENA RD.

DANE-HURST

METHELRED RD.

St. MILDRED'S RD.

SUSSEX GS.

WATER SIDE DR.

EDITH RD.

ROXBURGH RD.

CONIFER CT.

BEACH RISE

NORMAN RD.

SAXON RD.

AVENUE

ROAD

OLD BOUNDARY RD.

BEACH

Putting Grn.

Tennis Cts.

THE COURTS

BOWES AV.

EDMANSON AV.

FITZMARY AV.

GRESHAM AV.

BARNES AV.

PEMBROKE AV.

WESTONVILLE AV.

CLIFFE AV.

GDNS.

ESPLA

WESTBROOK

WENTWORTH

BOLEYN AV.

AUDLEY

MUTRIX GDNS.

ORCHARD RD.

BRIDGE RD.

OLD CROSSING RD.

LANGHAM RD.

MEADOW RD.

BARN

Victoria House
Westbrook Centre

M

CAMELLIA

CORONA

EYBOURN

ROSE LAWN

NOBLE

193

ST. 70

WEST THANE RD.

DANE END AV.

CARLTON RD.

RYDER'S

CEDRIC RD.

SHERWOOD

GOODWIN

WESTGATE STATION

DOMNEVA RD.

CUTHBERT

Pav.

Club House

Westgate-on-Sea RD.

WESTBURY

HAROLD AV.

ELM CT.

GROVE ROAD

Jun. Play Sch. Fld.

A28

ELM

Lib.

ESSEX RD.

CHESTER RD.

THE GRO

HOCKEREDGE GDNS.

ST. JAMES PARK

ST. 248

QUEENS RD.

CANTERBURY

ROAD

257

ORCHARD

GS.

GS.

KING EDWARD

CROWN

EDINBURGH RD.

BALMORAL

GLEBE RD.

LENHAM

ELLINGTON GDNS.

LESLIE AV.

BIRDS AV.

MAYNARD

AVENUE

GAP

BROOKE

KINGS

CANTERBURY

COUNTESS MOUNTBATTEN CT.

LUKE RD.

STREETE CT.

Streete Court Rd.

Rec. Grd.

BRIARY CL.

Playing Field

MICHELE GS.

ALICA GS.

NOBLE AV.

DENT-DE-LION RD.

Dent-de-Lion Castle (Remains of)

Dent-de-Lion Farm

WELSDENE RD.

SHERWOOD

FISHER'S

STEPH

CL.

Westgate on Sea

RALPH GRIMSHAW

LINDEN

P Sch.

St. CRISPINS

KINGSTON RD.

VICTORIA RD.

BELMONT RD.

RECULVERS RD.

RICHBOROUGH RD.

Dent-de-Lion

Dent-de-Lion Farm Cottages

GARLINGE

Comm. Centre

GUILDFORD

REDHILL

St. Christopher's Co. Inf. School

SUDBURY PL.

St. MARGARET'S RD.

PROSPECT CL.

St. JEAN'S RD.

St. BENET'S RD.

CROFTON RD.

WELLES LEY CL.

WELLSLEY

Fulham Farm

HINDREDS

CHARING

CHILHAM AV.

GOLDEN ACRE LA.

SOUTHWOLD

CAMBOURNE AV.

SUFFOLK AV.

LINKSFIELD RD.

CT8

Zeila Farm Cottages

HIGH

Zeila Farm

Hengrove Farm

20

68

❶

❷

NORTH   *SEA*

67

❸

❹

66

THE OAZE

WE.
C

❺

WHITSTABLE BAY

Saxon Shore Wa

❻

The Battery

SEASALTER

SEASALTER BEACH

The Battery

ADMIRALTY WK

PARADE

FAIRWAY CR.

GROVE

J O

Georges AV.
FLORENCE
AV.
MEDINA
AV.
ST. ALPHEGE CL.
SHAMROCK CL.
SHAMROCK AV.
SOMERSET CL.
BAY VW.
GENESTA AV.
COLUMBIA AV.
METEOR AV.
SUNRA
BRITA
SCEPTRE CL.
YAL
FIELD VW.

PRESTON

ALLAN ROAD

HODGSON RD.

BOWYER'S RD.

MARY'S

ST.

LUCERNE DR.

LUCERNE

GROVE

Ashley Dr.
NER RD.
GATE-
ACRE
RD.
FAVERSHAM
RD.
VICTORIA RD.
THE GRANGE
EDEN ROAD
HAZLEMERE
ROAD
CORYLUS DR.
MACDONALD
PARADE ROAD
INGRAM RD.
DORSET CL.
AV.
LORD CL.
BUTLER CRD.
KAROLINE
ANTHONY CR.
SANDPIPER
LINNET
SWALLOW

165 FAVERSHAM

08 iding Centre

BLUE ANCHOR CARAVAN PARK

ALBERTA CARAVAN PARK

Ⓐ

Commi
Cen

Ⓑ

WAUG
TIMBERLEY DR.
WAUG
PERS RD.

24
Hall
09

Ⓒ

Ⓓ

E Northern Sea Wall F   27   G Plumpudding Island / The Cottage   H   28

DANE RD.

69

1

WADE

O F   *MARSH*   *T H A N E T*

h i n g t o n

2

¹68

Upper

Shuart

Ballards Cottage

Hale

3

CT7

Nether Hale Farm Cottages

Nether Hale

NETHERHALE FARM RD.

18 ▶

Marshside

Wade House

HEDGEND IND. EST.

S T R E E T

SHUART LANE

ROAD

4

ROAD

A299

Cemetery

Frost Farm

FROST FARM LANE

W A Y

R O A D

St. Nicholas Roundabout

A28

CANTERBURY

67

WANTSUM WY.

Court Cottages

FROST FARM CARAVAN PK.

A N E T

Sunnyside Farm

ST. NICHOLAS CARAVAN & CAMPING SITE

Crumps Farm

T

THANET

5

St. Nicholas-at-Wade C. of E. Prim. Sch.

THE OAKS

ST. NICHOLAS AT WADE

R O A D

THE FINCHES CL.

BRIDGES CL.

WANSUM COURT

★

THE STREET

MANOR

THE WALK

SUN LA.

Hall Farm

Bell Meadow

MANOR LEA RD.

A299

PROSPECT PLACE

SUMMER RD.

SANDLE WOOD

B'FORD WY.

LENGTH

A28

ORCHARD ROAD

Silsoe Court Farm

St. Nicholas Corner

6

antsum

E   CANTERBURY   F   27   G   H   28

W A Y

66

A

B

▲
4
33

C

D

NO LEY CL

MINSTER ROAD LANE

HIGH STREET

Zeila Farm Cottages

Zeila Farm

1

69

Westgate - on - Sea

CT8

Hengrove Farm

The Bungalo

M a

PARK

SHOTTENDALE ROAD

QUEX PARK

2

TWO CHIMNEYS CARAVAN PARK

Five Acres Farm

WOODCHURCH ROAD

Woodchurch Cottages

Woodchurch

+ (Ruin)

Piggerie

1 68

Birchington

T **H** **A**

Windyridge

Piggeries

3

ROAD

WESTGATE AV.

QUEENSDOWN

◄ 19

MANSTON

CASTLE MAYNE AV.

TRAFALGAR RD

ST. MARGARETS RD

Kennels

Hackthorne Farm

CT7

WOODCHURCH ROAD

Piggeries

The Bungalow

Queensdown

Piggery

ROAD

I S L E

Pigge

4

67

Caves

B2050

Cheeseman's Farm

Cheeseman's View

Pouces Nursery

GRANGE LANE

Piggery.

R a m

MANSTON ROAD

5

PROPOSED

MANSTON PARK BUNGALOWS

Tennis Courts

R.A.F. Manston Spitfire & Hurricane Pav. Mus.

AL

MUSGRAVE AV.

ESMONDE

TOLLEMACHE

BEA CL

MINT

BELL

DAVIES

MANSTON

Piggery

(PROPOSED)

Alland Grange

Sunny Bank

Piggery

Rose Farm

Pouces Cottages

B2190

6

66

ALLAND

MANSTON AIRPORT

CT12

R.A.F. Manston

A B ROAD 29 C D

18

66

Birchington

1

CT7

THANET — WAY

A299

A253

Nature Reserve

SEAMARK

HILL

Monkton Roundabout

A253

Monkton

WILLETTS

2

Monkton Court Farm

PARSONAGE FIELDS

VICARAGE GDNS.

COLLARDS CL.

MONKTON

Monkton C. of E. Prim. Sch.

R a m s

WAY

165

SEAMARK CL.

Walters Hall

STREET

MONKTON

CHIPMANS

MONKTON

Hoo

3

Eastern

Playing Field

THE FOXHUNTER PARK

★

COURT

LANE

SHERRIFFS COURT

64

Monkton

4

Sheriffs Court

5

Stream

T H A

Docker Hill

I S L E O F

6

Abbot's Wall

Abbot's Wall

RIVER STOUR

63

DOVER

28 A B 29 C D

28 32   **A**   **B**   **20** 33   **C**   **D**

66

R.A.F. Manston

1

MANSTON AIRPORT

A253

Dellside

IVY COTTAGE HILL

THORN

Ivy Cottage

Way House

2

Way Cotts.

Way

Wayborough Farm

165

Piggery

Tennis Courts

Minster House

Way Farm

LANES

WAYBOROUGH HILL

WAYSIDE CARAVAN PK.

Red Cottages

R a m s

Chapel (remains of)

Thorne Farm

3

GRINSELL

Thorne Cottages

Thorne

Spencer's Pond Cottages

CT12

27

HILL

ISLE OF THANET

HILL

COTTINGTON

EBBSFLEET LANE

Sevenscore

4

Orchard View

Sevenscore Farm Cottages

Sevenscore Crossing

64

COTTINGTON

Ch Ho

The Rough

Clapper Hill

T H A N

Cottington Hill

LANE

5

LANE

MINSTER MARSHES

EBBSFLEET LANE

COTTINGTON LANE

6

B R O O K

Ebbsfleet Farm

STONELEES GOLF COURSE

Ebbsfleet Club House

63

Abbot's Wa

32   **A**   **B**   33   **C**   **D**

S A

CEMETERY

Dumpton
Leisure
Centre

KING GEORGE
VI MEMORIAL
PARK

Hereson

EAST CLIFF

BOUNDARY A253 RD.

Play. Fld.
Chatham Ho.
Gram. Sch.
For Boys

Boating
Pool
Outfall
Swimming
Pool

165

Theatre

Bandstand

Sands

Royal Victoria
Pavilion

RAMSGATE

Yacht
Marina
Ramsgate
Maritime
Mus.

Basin
Bascule
Bri.
Sailors'
Church

ROYAL
HARBOUR

Mud

East Pier

East Gully

Lifeboat

Landing
Stage

Lighthouse

Mean Low Water

West Gully

West Pier

WESTERN FERRY
TERMINAL

64

Mean Low Water

SEA

63

Hawcroft Farm

Stonerocks Farm

Gravel Works

A28

Bushy Close Wood

Haseden Farm

E

HOADES WOOD

Stonerocks

Eureka

ISLAND

WESTBERE

Harsden Hill

Sewage Works

1

F

HOATH HILL LANE

REDCOT LA.

ROAD (STAINES HILL)

Playing Fld.

Hall

Rectory

BUSHY HILL LANE

61

Sturry C. of E. Prim. Sch.

OAKWOOD RD.

OAK LANE

BABS OAK

LABURNUM

OAKLANDS WY.

WESTBERE

St. Annes Convent

The Warren

CHURCH LA.

WALNUT TREE LA.

CHESTNUT DR.

HOADES WOOD RD.

CEDAR RD.

CHERE GRO.

Brooklyn

CHURCH LA.

Cemy.

ROAD

STURRY

2

ROAD

STURRY

Westbere Marshes

WELL WY.

TWINE CL.

GOS.

FAIRVIEW GDNS.

HOMEWOOD RD.

FAIRVIEW

Sand & Gravel Works

CT2

STOUR

3

GREAT

Trenleypark Wood

Higham Farm

1 60

THE DROVE

CHURCH H. LA. COTTS.

YEW TRE GS.

SPRING LA.

Valley

Walk

4

Elbridge Hill Ho.

ELBRIDGE HILL

D

Stour

BROWN COTTS.

Old Town Hall

TRENLEYPARK

ROAD

Elbridge Farm

r **b** **u** **r** **y**

Hospital Wood

WOOD

Sandpit Wood

5

Shepherd's Bank

Sports Ground Pav.

MARSH

Stream

59

Swanton Farm Cotts.

CT3

LANE

MARSH

DOWN

Lampen

SWANTON

East Wood

6

Moat Rough

Down Wood

Oldridge Wood

LANE

INDEX TO STREETS

Including Industrial Estates and a selection of Subsidiary Addresses.

HOW TO USE THIS INDEX

1. Each street name is followed by its Postal District and then by its map reference; e.g. Abbey Gdns. *Cant* —6G **33** is in the Canterbury Posttown and is to be found in square 6G on page **33**.
   A strict alphabetical order is followed in which Av., Rd., St., etc. (though abbreviated) are read in full and as part of the street name; e.g. Beaconfields appears after Beacon Av. but before Beacon Hill.

2. Streets and a selection of Subsidiary names not shown on the Maps, appear in the index in *Italics* with the thoroughfare to which it is connected shown in brackets; e.g. *Alkali Row. Mgte* —2G **5** *(off King St.)*

GENERAL ABBREVIATIONS

All : Alley	Clo : Close	Junct : Junction	Rd : Road
App : Approach	Comn : Common	La : Lane	Shop : Shopping
Arc : Arcade	Cotts : Cottages	Lit : Little	S : South
Av : Avenue	Ct : Court	Lwr : Lower	Sq : Square
Bk : Back	Cres : Crescent	Mnr : Manor	Sta : Station
Boulevd : Boulevard	Dri : Drive	Mans : Mansions	St : Street
Bri : Bridge	E : East	Mkt : Market	Ter : Terrace
B'way : Broadway	Embkmt : Embankment	M : Mews	Trad : Trading
Bldgs : Buildings	Est : Estate	Mt : Mount	Up : Upper
Bus : Business	Gdns : Gardens	N : North	Vs : Villas
Cvn : Caravan	Ga : Gate	Pal : Palace	Wlk : Walk
Cen : Centre	Gt : Great	Pde : Parade	W : West
Chu : Church	Grn : Green	Pk : Park	Yd : Yard
Chyd : Churchyard	Gro : Grove	Pas : Passage	
Circ : Circle	Ho : House	Pl : Place	
Cir : Circus	Ind : Industrial	Quad : Quadrant	

POSTTOWN AND POSTAL LOCALITY ABBREVIATIONS

Acol : Acol	*Dar* : Dargate	*Monk* : Monkton	*Sturry* : Sturry
Bek : Bekesbourne	*Edd B* : Eddington Bus. Pk.	*Pat* : Patrixbourne	*T Hill* : Tyler Hill
Birch : Birchington	*Flete* : Flete	*Pys R* : Pysons Road Ind. Est.	*W'bre* : Westbere
Blean : Blean	*F'wch* : Fordwich	*Ram* : Ramsgate	*Wgte S* : Westgate-on-Sea
Bri : Bridge	*Gar* : Garlinge	*R Comn* : Rough Common	*W'wd* : Westwood
B Oak : Broad Oak	*Harb* : Harbledown	*St D* : St Dunstans	*Whits* : Whitstable
Broad : Broadstairs	*Haw* : Hawthorn	*St Law* : St Lawrence	*Win* : Wincheap
B End : Brooks End	*H Bay* : Herne Bay	*St Mil* : St Mildreds	*Win I* : Wincheap Ind. Est.
Broom : Broomfield	*Hoath* : Hoath	*St N* : St Nicholas at Wade	*Wdchu* : Woodchurch
Cant : Canterbury	*L'brne* : Littlebourne	*St Pet* : St Peters	*York* : Yorkletts
Ches : Chestfield	*Mans* : Manston	*S'wch* : Sandwich	
C'snd : Cliffsend	*Mgte* : Margate	*Sarre* : Sarre	
Clift : Cliftonville	*Min* : Minster	*Sea* : Seasalter	

INDEX TO STREETS

Abbey Gdns. *Cant* —6G **33**
Abbey Ga. *Ram* —4B **30**
Abbey Gro. *Min* —4G **27**
Abbey Gro. *Ram* —4B **30**
Abbots Barton Wlk. *Cant*
　　　　　　　　　　—3H **37**
Abbot's Hill. *Ram* —3E **31**
Abbots Pl. *Cant* —1F **37**
Acol Hill. *Acol* —3F **19**
Acton Rd. *Whits* —4F **9**
Ada Rd. *Cant* —4D **36**
Addington Pl. *Ram* —3E **31**
Addington Rd. *Mgte* —3H **5**
Addington Sq. *Mgte* —3H **5**
Addington St. *Mgte* —3H **5**
Addington St. *Ram* —3D **30**
Addiscombe Gdns. *Mgte*
　　　　　　　　　　—4H **5**
Addiscombe Rd. *Mgte* —4A **6**
Adelaide Gdns. *Ram* —3E **31**
Adelaide Pl. *Cant* —2F **37**
Adisham Way. *Mgte* —4C **6**
Admiralty Wlk. *Whits* —6C **8**
Adrian M. *Wgte S* —4B **4**

Adrian Sq. *Wgte S* —4B **4**
Aerodrome Rd. *Bek* —6H **39**
Afghan Rd. *Broad* —5F **7**
Airedale Clo. *Mgte* —4A **6**
Aisne Dri. *Cant* —1B **38**
Albany Dri. *H Bay* —2B **12**
Alberta Cvn. Pk. *Sea* —1A **24**
Albert Ct. *Whits* —3F **9**
Albert Rd. *Broad* —6E **7**
Albert Rd. *Cant* —2H **37**
Albert Rd. *Mgte* —3F **5**
Albert Rd. *Ram* —2F **31**
Albert St. *Ram* —3D **30**
Albert St. *Whits* —3F **9**
Albert Ter. *Mgte* —3G **5**
Albert Vs. *Sturry* —4D **34**
Albhuera Sq. *Cant* —1B **38**
Albion M. *Ram* —3E **31**
Albion Hill. *Ram* —3E **31**
Albion Pl. *Cant* —1G **37**
Albion Pl. *Mgte* —2H **5**
Albion Pl. *Ram* —3E **31**
Albion Rd. *Birch* —6E **3**
Albion Rd. *Broad* —1E **23**

Albion Rd. *Clift* —2A **6**
Albion Rd. *Ram* —2F **31**
Albion St. *Broad* —3H **23**
Alderney Gdns. *Broad* —2E **23**
Aldridge Clo. *H Bay* —2H **11**
Alexandra Dri. *H Bay* —2A **12**
Alexandra Homes. *Mgte* —4G **5**
Alexandra Rd. *Birch* —2E **19**
Alexandra Rd. *Broad* —3H **23**
Alexandra Rd. *Flete* —2F **21**
Alexandra Rd. *Mgte* —5G **5**
Alexandra Rd. *Ram* —1D **30**
Alexandra Rd. *Whits* —5E **9**
Alexandra Ter. *Mgte* —4G **5**
Alfred Clo. *Cant* —4C **36**
Alfred Cotts. *Ram* —2E **31**
Alfred Rd. *Birch* —5B **2**
Alfred Rd. *Cant* —4C **36**
Alfred Rd. *Mgte* —4B **6**
Alicia Av. *Mgte* —5C **4**
Alington Ho. *Mgte* —3F **5**
Alison Clo. *Birch* —5F **3**
Alkali Row. Mgte —2G **5**
　(off King St.)

Alkham Clo. *Clift* —3F **7**
Alland Grange La. *Mans*
　　　　　　　　　　—6A **20**
Allan Rd. *Sea* —6A **8**
Allen Av. *Wgte S* —6H **3**
Allenby Rd. *Ram* —5B **22**
Alliance Rd. *Ram* —3F **31**
All Saints' Av. *Mgte* —4E **5**
All Saints Clo. *Whits* —4G **9**
All Saints Ct. Cant —2F **37**
　(off All Saints La.)
All Saints Ind. Est. *Mgte* —4F **5**
All Saints La. *Cant* —2F **37**
Alma Cotts. *Sturry* —4D **34**
Alma Pl. *Cant* —1G **37**
Alma Pl. *Ram* —2E **31**
Alma Rd. *H Bay* —2F **13**
Alma Rd. *Mgte* —4H **5**
Alma Rd. *Ram* —1E **31**
Alma St. *Cant* —1G **37**
Almond Clo. *Broad* —3C **22**
Almond Clo. *Ches* —4D **10**
Alpha Rd. *Birch* —6E **3**
Alpha Rd. *Ram* —3D **30**

Alvis Av. *H Bay* —1G **11**
Amherst Clo. *Mgte* —4C **6**
Anchor Hill. *Mgte* —3H **5**
Ancress Clo. *Cant* —4G **33**
Anna Pk. *Birch* —5D **2**
Anne Clo. *Birch* —6F **3**
Anne Grn. Wlk. *Cant* —6H **33**
Anne's Rd. *Broad* —6H **7**
Ann's Rd. *Ram* —1E **31**
Anson Clo. *Pys R* —4D **22**
Anthony Clo. *Ram* —1B **30**
Anthony Cres. *Whits* —1D **24**
Anvil Clo. *Birch* —1E **19**
Appledore Clo. *Mgte* —4C **6**
Appledown Way. *Cant* —5B **38**
Applegarth Pk. *Sea* —1C **24**
April Rise. *Birch* —5B **2**
April Rise. *Whits* —6D **8**
Arcadian Flats. *Mgte* —2G **5**
 (off Fort Hill)
Archway Rd. *Ram* —3E **31**
Arden Ct. *Cant* —3G **37**
Arden Rd. *H Bay* —5F **13**
Argyle Av. *Mgte* —4E **5**
Argyle Cen, The. *Ram* —3E **31**
 (off York St.)
Argyle Gdns. *Mgte* —4E **5**
Argyle Rd. *Whits* —4F **9**
Argyll Dri. *Ram* —6E **23**
Arkley Rd. *H Bay* —3D **12**
Arklow Sq. *Ram* —2F **31**
Arlington Gdns. *Mgte* —5C **6**
Arlington Ho. *Mgte* —3F **5**
 (off All Saints' Av.)
Arlington Sq. *Mgte* —3F **5**
Armstrong Aq. *H Bay* —2G **11**
Arnold Rd. *Mgte* —4H **5**
Arran M. *Cant* —6H **33**
Arthur Rd. *Birch* —5B **2**
Arthur Rd. *Mgte* —2A **6**
Artillery Gdns. *Cant* —1G **37**
Artillery Ho. *Cant* —1G **37**
 (off Victoria Row)
Artillery Rd. *Ram* —2F **31**
Artillery St. *Cant* —1G **37**
Arundel Rd. *C'snd* —2F **29**
Arundel Rd. *Mgte* —3B **6**
Ascot Gdns. *Wgte S* —6A **4**
Ashbee Gdns. *H Bay* —2G **13**
Ashburn Gdns. *H Bay* —2G **13**
Ashburnham Rd. *Ram* —2B **30**
Ash Clo. *Broad* —3C **22**
Ash Clo. *H Bay* —6D **12**
Ash Ct. *C'snd* —5F **29**
Ashdene Gro. *Sturry* —2E **35**
Ashdown Clo. *H Bay* —5F **13**
Ashenden Clo. *Cant* —5C **36**
Ashford Rd. *Cha & Cant* —6A **36**
Ashley Clo. *Ram* —5B **22**
Ashley Dri. *Sea* —6C **8**
Ash Rd. *Ash & S'wch* —3A **40**
Ashurst Av. *Whits* —1E **25**
Ashurst Gdns. *Clift* —2E **7**
Astor Rd. *Broad* —5F **7**
Athelstan Rd. *Cant* —5C **36**
Athelstan Rd. *Mgte* —2A **6**
Athol Rd. *Whits* —3H **9**

Auckland Av. *Ram* —6A **22**
Audley Av. *Mgte* —4C **4**
Augusta Pl. *Ram* —2F **31**
Augusta Rd. *Ram* —2F **31**
Augustine Rd. *Min* —3F **27**
Austin Av. *H Bay* —1F **11**
Austins La. *S'wch* —4C **40**
Avebury Av. *Ram* —1G **31**
Avenue Gdns. *Clift* —3C **6**
Avenue Rd. *H Bay* —2C **12**
Avenue Rd. *Ram* —2F **31**
Avenue, The. *Mgte* —4A **6**
Avon Clo. *Cant* —2A **38**
Avondale Clo. *Whits* —5A **10**
Avondale Pl. *Mgte* —2G **5**
 (off Market St.)
Aynsley Ct. *S'wch* —4C **40**
Ayton Rd. *Ram* —3C **30**

Babs Oak Hill. *Sturry* —1F **35**
Baddlesmere Rd. *Whits* —2A **10**
Badgers Clo. *Blean* —1A **32**
Baird's Hill. *Broad* —1F **23**
Bairdsley Clo. *Broad* —1F **23**
 (in two parts)
Bakers Clo. *Cant* —3C **36**
Balcomb Cres. *Mgte* —5C **6**
Baliol Rd. *Whits* —3G **9**
Balliemoor Ct. *Ram* —6E **23**
Balliol Rd. *Broad* —6F **7**
Balmoral Pl. *Ram* —2F **31**
Balmoral Rd. *Mgte* —5D **4**
Banks, The. *Broad* —1F **23**
Bank St. *H Bay* —2D **12**
Barbers Almshouses. *Ram* —3D **30**
 (off Elms Av.)
Barley Ct. *H Bay* —5H **13**
Barn Clo. *York* —4C **24**
Barn Cotts. *T Hill* —2E **33**
Barn Cres. *Mgte* —4D **4**
Barnes Av. *Mgte* —4D **4**
Barnes Ct. *Cant* —4D **36**
Barnesende Ct. *S'wch* —5C **40**
Barnet's La. *B Oak* —1B **34**
Barnett Ct. *Min* —4F **27**
Barnett Ct. *Ram* —6B **22**
Barnfield. *H Bay* —5A **12**
Barrington Cres. *Birch* —6F **3**
Barrows Clo. *Birch* —1E **19**
Bartlett Dri. *Whits* —4A **10**
Bartonfields Ct. *Cant* —3H **37**
Barton Mill Rd. *Cant* —6H **33**
Barton Rd. *Cant* —4A **38**
Bartons Bus. Pk. *Cant* —4B **38**
Bath Pl. *Mgte* —2H **5**
Bath Rd. *Mgte* —3H **5**
Bathurst Clo. *Ram* —6B **22**
Bawden Clo. *Cant* —4G **33**
Bay View Heights. *Birch* —5B **2**
 (off Ethelbert Rd.)
Bay View Rd. *Broad* —5G **23**
Bayview Rd. *Whits* —6F **9**
Beach All. *Whits* —3F **9**
 (off Island Wall)
Beach Av. *Birch* —5D **2**
Beach Houses. *Mgte* —3E **5**
Beach Ride. *Wgte S* —4B **4**
Beach Rd. *Wgte S* —4B **4**
Beach St. *H Bay* —2D **12**

Beach Wlk. *Whits* —2G **9**
Beacon Av. *H Bay* —2F **13**
Beaconfields. *Sea* —1B **24**
Beacon Hill. *H Bay* —2E **13**
Beacon Rd. *Broad* —1E **23**
Beacon Rd. *H Bay* —3E **13**
Beaconsfield Gdns. *Broad* —2F **23**
Beaconsfield Rd. *Cant* —6E **33**
Beacon Wlk. *H Bay* —2E **13**
Beagrams, The. *S'wch* —4B **40**
Beamont Clo. *Mans* —5B **20**
Beatrice Rd. *Mgte* —5G **5**
Beaufort Av. *Ram* —1B **30**
Beaumanor. *H Bay* —4E **13**
Beaumont St. *H Bay* —4A **12**
Becket Av. *Cant* —1D **36**
Becket Clo. *Whits* —4B **10**
Becket Ho. *Cant* —3G **37**
Becket M. *Cant* —1F **37**
Bedford Ct. *Broad* —2H **23**
Bedford Sq. *Ram* —5B **22**
 (off Stirling Way.)
Bedford Way. *St N* —6F **17**
Bedlam Ct. La. *Min* —4G **27**
Beechcroft. *Ches* —4D **10**
Beechcroft Gdns. *Ram* —1F **31**
Beech Dri. *Broad* —3D **22**
Beech Gro. *C'snd* —4E **29**
Beecroft Clo. *Cant* —4G **33**
Beer Cart La. *Cant* —2F **37**
Bekesbourne Hill. *Bek* —5F **39**
Bekesbourne La. *Cant & Lit* —2C **38**
Bekesbourne La. *L'brne* —4H **39**
Bekesbourne Rd. *L'brne* —4H **39**
Bekesbourne Rd. *Pat* —6E **39**
Belgrave Clo. *Ram* —2D **30**
Belgrave Rd. *Mgte* —3G **5**
Belgrave Rd. *Ram* —2D **30**
Bellavista Leisure Pk. *Sea* —1C **24**
Bell Davies Dri. *Mans* —6B **20**
Bellevue Av. *Ram* —2F **31**
Belle Vue Cotts. *H Bay* —4H **13**
Belle Vue Rd. *H Bay* —2E **13**
Bellevue Rd. *Ram* —2F **31**
Bellevue Rd. *Whits* —5H **9**
Bell La. *S'wch* —4C **40**
Belmont Ct. *Ram* —2D **30**
 (off Park Rd.)
Belmont Rd. *Broad* —3G **23**
Belmont Rd. *Wgte S* —5B **4**
Belmont Rd. *Whits* —4F **9**
Belmont St. *Ram* —2E **31**
Beltinge Dri. *H Bay* —2A **14**
Beltinge Rd. *H Bay* —2E **13**
Belton Clo. *Whits* —5G **9**
Belvedere Rd. *Broad* —3H **23**
Benacre Rd. *Whits* —1F **25**
Bengal Rd. *Ram* —6A **22**
Bennells Av. *Whits* —3A **10**
Benstede Clo. *H Bay* —6E **13**
Bentley Av. *H Bay* —1H **11**
Beresford Gap. *Birch* —5D **2**
Beresford Gdns. *Mgte* —2C **6**
Beresford Rd. *Ram* —3D **30**
Beresford Rd. *Whits* —4F **9**
Berkeley Rd. *Birch* —5D **2**

Best La. *Cant* —2F **37**
Beverley Rd. *Cant* —6E **33**
Beverley Way. *Ram* —6C **22**
Beverly Clo. *Birch* —5F **3**
Bexley St. *Whits* —3F **9**
Bhutan Rd. *H Bay* —3G **13**
Bicknor Clo. *Cant* —4H **33**
Biddenden Clo. *Mgte* —4C **6**
 (off Denton Way.)
Bierce Ct. *Birch* —6D **2**
Bifrons Hill. *Pat* —6E **39**
Bifrons Rd. *Bek* —6F **39**
Bigbury Rd. *Cha H* —2A **36**
Biggleswade Pas. *Cant* —3E **37**
Bilton Sq. *Mgte* —3G **5**
Binnie Clo. *Broad* —5F **23**
Birch Clo. *Broad* —4C **22**
Birches, The. *Birch* —6F **3**
Birch Hill Ct. *Birch* —6F **3**
Birch Rd. *Whits* —5A **10**
Birchwood Wlk. *Cant* —6E **33**
Birds Av. *Mgte* —6D **4**
Birkdale Gdns. *H Bay* —5B **12**
Bishopden Ct. *Cant* —4C **32**
Bishop's Av. *Broad* —1H **23**
Bishopstone Dri. *H Bay* —1B **14**
Bishopstone La. *H Bay* —2B **14**
Bishops Way. *Cant* —1D **36**
Blackburn Rd. *H Bay* —3H **11**
Blackfriars St. *Cant* —1F **37**
 (in two parts)
Black Griffin La. *Cant* —2F **37**
 (in two parts)
Black La. *S'wch* —6A **40**
Blackstable Ct. *Whits* —5F **9**
Blean Comn. *Blean* —1A **32**
Blean Hill. *Blean* —3A **32**
Blean View Rd. *H Bay* —3H **11**
Blenheim Av. *Cant* —1B **38**
Blenheim Clo. *H Bay* —6E **13**
Blenheim Clo. *Pys R* —4D **22**
Bloomsbury Rd. *Ram* —3C **30**
Blue Anchor Cvn. Pk. *Sea* —6A **8**
Bluebell Woods Cvn. Pk. *B Oak* —2B **34**
Blue Dolphin Pk. *H Bay* —1E **15**
Bognor Dri. *H Bay* —3B **12**
Bogshole La. *H Bay* —4H **13**
 (in two parts)
Bogshole La. *Whits* —3F **25**
Boleyn Av. *Mgte* —4C **4**
Boleyn Ct. *Cant* —3H **37**
Bolton St. *Ram* —1D **30**
Bonners All. *Whits* —3F **9**
 (off Middle Wall)
Booth Pl. *Mgte* —2H **5**
Borough, The. *Cant* —1G **37**
Borrowdale Av. *Ram* —2A **30**
Borstal Av. *Whits* —1F **25**
Borstal Hill. *Whits* —1F **25**
Botany Rd. *Broad* —4F **7**
Boughton Av. *Broad* —5G **23**
Boundary Ct. *Cant* —4H **37**
Boundary Rd. *Cant* —4D **36**
Boundary Rd. *Ram* —2E **31**
Bourne Lodge Clo. *Blean* —1A **32**

Bournemouth Dri. *H Bay*
—2B **12**
Bournes Clo. *Sturry* —1D **34**
Bowes Av. *Mgte* —4C **4**
Bowes Ct. *Whits* —3A **10**
Bowes La. *H Bay* —4E **13**
Bowland Clo. *H Bay* —5G **13**
Bowling St. *S'wch* —4B **40**
Bowyer Rd. *Sea* —6B **8**
Boyden Ga. Hill. *Hoath* —6C **14**
Boyden Hill. *Hoath* —6B **14**
Brabourne Clo. *Cant* —4G **33**
Bracken Ct. *Broad* —2E **23**
Bradgate Pk. *Mgte* —3G **21**
Bradley Rd. *Ram* —6C **22**
Bradstow Way. *Broad* —2F **23**
Bramblefields Clo. *H Bay*
—5F **13**
Bramcote Wlk. *Ram* —2C **30**
Bramley Av. *Cant* —4C **36**
Bramshaw Rd. *Cant* —6E **33**
Brandon Rd. *Ram* —6A **22**
Brandon Way. *Birch* —1F **19**
Brassey Av. *Broad* —4F **23**
Brecon Sq. *Ram* —6A **22**
Bredlands La. *Hoath* —1H **35**
Brian Roberts Ho. H Bay
(off Beach St.) —2D **12**
Briars, The. *Whits* —1E **25**
Briars Wlk. *Broad* —4F **23**
Briary Clo. *Mgte* —5B **4**
Bridewell Pk. *Whits* —4A **10**
Bridge App., The. *Whits* —4H **9**
Bridgefield Ct. *Whits* —2B **10**
Bridgefield Rd. *Whits* —2B **10**
Bridge Ho. *Ram* —2C **30**
Bridge Rd. *Mgte* —5C **4**
Bridges Clo. *St N* —5E **17**
Bridgeway. *Whits* —2D **18**
Bridle Way. *H Bay* —4B **12**
Bridleway Gdns. *Broad*
—4E **23**
Brightlingsea Rd. *S'wch*
—5B **40**
Bright's Pl. *Ram* —2F **31**
Brisbane Dri. *Ram* —6A **22**
Bristol Pl. *Ram* —2D **30**
Bristol Rd. *Cant* —4F **37**
Britannia Av. *Whits* —6D **8**
Broadlands. *Sturry* —2D **34**
Broadlands Ind. Est. *Blean*
—1A **32**
Broadley Av. *Birch* —2D **18**
Broadley Rd. *Broad* —6C **6**
Broad Oak Rd. *Cant* —6G **33**
Broadstairs Rd. *Broad* —2D **22**
Broad St. *Cant* —1G **37**
(in two parts)
Broad St. *Mgte* —2G **5**
Broad St. *Ram* —2E **31**
Broadway, The. *Broad* —3F **23**
Broadway, The. *H Bay* —2A **12**
Broadway, The. *Ram* —3D **30**
Brockenhurst Clo. *Cant*
—6E **33**
Brockenhurst Rd. *Ram* —1F **31**
Brockley Rd. *Ram* —3H **5**
Brockmans Clo. *Min* —2F **27**
Bromstone M. *Broad* —4E **23**
Bromstone Rd. *Broad* —4E **23**
Brook Clo. *H Bay* —4A **12**

Brooke Av. *Mgte* —6D **4**
Brooklands Clo. *F'wch* —4D **34**
Brook La. *H Bay* —2D **14**
Brook La. *Ram* —6A **28**
Brook Rd. *Whits* —2C **10**
Broomfield Cres. *Clift* —3F **7**
Broomfield La. *H Bay* —5H **13**
Broomfield Rd. *H Bay* —6F **13**
Brotherhood Clo. *Cant* —4D **32**
Brown Cotts. *F'wch* —4E **35**
Brunswick Ct. Ram —2E 31
(off Hardres St.)
Brunswick Rd. *Birch* —2E **19**
Brunswick Sq. *H Bay* —2C **12**
Brunswick St. *Ram* —2E **31**
Brymore Clo. *Cant* —6H **33**
Brymore Rd. *Cant* —6H **33**
Buckhurst Dri. *Clift* —3F **7**
Buckingham Rd. *Broad*
—3H **23**
Buckingham Rd. *Mgte* —4G **5**
Buckingham Rd. *Whits*
—3B **10**
Buenos Aryes. *Mgte* —3F **5**
Buller Gro. *Sea* —1D **24**
Buller's Av. *H Bay* —3C **12**
Bullockstone Rd. *H Bay*
—6B **12**
Bulwark, The. *S'wch* —4D **40**
Burch Av. *S'wch* —5B **40**
Burgate. *Cant* —2G **37**
Burgate La. *Cant* —2G **37**
Burgess Clo. *Min* —2G **27**
Burlington Dri. *H Bay* —2H **13**
Burlington Gdns. *Mgte* —5E **5**
Burma Cres. *Cant* —1B **38**
Burnan Rd. *Whits* —3C **10**
Bursill Cres. *Ram* —6B **22**
Burton Fields. *H Bay* —3F **13**
Bush Av. *Ram* —6B **22**
Bushy Hill Rd. *W'bre* —1G **35**
Butchery La. *Cant* —2F **37**
Butchery, The. *S'wch* —4C **40**
Butts Ho. Cant —1G 37
(off Artillery Rd.)
Butts, The. *S'wch* —4B **40**
Buxton Rd. *Ram* —5B **22**
Byron Av. *Mgte* —4H **5**
Byron Clo. *Cant* —3A **38**

C

Cadnam Clo. *Cant* —5E **33**
Caernarvon Gdns. *Broad*
—2H **23**
Calais Hill. *T Hill* —2D **32**
Calcraft M. *Cant* —6H **33**
Caledon Ter. *Cant* —3G **37**
Callis Ct. Rd. *Broad* —1F **23**
Calverden Rd. *Ram* —6A **22**
Cambourne Av. *Wgte S* —5H **3**
Cambrai Ct. *Cant* —1B **38**
Cambrian Cotts. *Ram* —3D **30**
Cambridge Clo. *Birch* —6F **3**
Cambridge Rd. *Cant* —3F **37**
Cambridge Ter. *Mgte* —4B **6**
Cambridge Way *Cant* —4F **37**
Camden Clo. Ram —3E 31
(off Camden Rd.)
Camden Rd. *Broad* —6E **7**
Camden Rd. *Ram* —3E **31**
Camden Sq. *Ram* —2E **31**

Camellia Clo. *Mgte* —5D **4**
Campbell Clo. *H Bay* —4G **13**
Cannonbury Rd. *Ram* —3D **30**
Cannon Rd. *Ram* —2D **30**
Canon Appleton Ct. *Cant*
—3E **37**
Canterbury Bus. Cen., The.
Cant —2F **37**
Canterbury City Retail Pk. *Cant*
—4B **34**
Canterbury Clo. *Broad* —2D **22**
Canterbury Hill. *T Hill* —3E **33**
Canterbury La. *Cant* —2G **37**
Canterbury Rd. *B End & Birch*
—4H **17**
Canterbury Rd. *H Bay* —4E **13**
(in two parts)
Canterbury Rd. *St N* —6E **17**
Canterbury Rd. *Sarre &*
Wgte S —6F **17**
Canterbury Rd. *Wgte S & Mgte*
—5H **3**
Canterbury Rd. *Whits* —5F **9**
Canterbury Rd. E. *Ram*
—2H **29**
Canterbury Rd. W. *C'snd*
—2E **29**
Canute Rd. *Birch* —5B **2**
Capel Clo. *Broad* —4F **7**
Carey Ho. Cant —3F 37
(off Station Rd. E.)
Carlton Av. *Broad* —2G **23**
Carlton Av. *Ram* —3D **30**
Carlton Hill. *H Bay* —3A **12**
Carlton Mans. *Mgte* —2A **6**
Carlton Rise. *Wgte S* —5G **3**
Carlton Rd. *Whits* —5F **25**
Carlton Rd. E. *Wgte S* —5H **3**
Carlton Rd. W. *Wgte S* —5G **3**
Carn Brea. *Mgte* —3H **5**
Caroline Clo. *Whits* —1D **24**
Caroline Cres. *Broad* —1E **23**
Caroline Sq. *Ram* —2H **5**
Carriage M. *Cant* —1F **37**
Carroway's Pl. *Mgte* —3H **5**
Castle Av. *Broad* —1H **23**
Castle Mkt. *S'wch* —4B **40**
Castle Mayne Av. *Wdchu*
—4B **20**
Castle Rd. *Whits* —3G **9**
Castle Row. *Cant* —3F **37**
Castle St. *Cant* —3F **37**
Castle, The. *Whits* —2G **9**
Catherine Way. *Broad* —1G **23**
Causeway, The. *Cant* —1F **37**
Causeway, The. *S'wch* —3A **40**
Cavendish Ct. H Bay —2E 13
(off Cavendish Rd.)
Cavendish Pl. *Ram* —3E **31**
Cavendish Rd. *H Bay* —3E **13**
Cavendish St. *Ram* —2E **31**
Caxton Rd. *Mgte* —5D **4**
Cecil Ct. *H Bay* —3E **13**
Cecilia Gro. *Broad* —1F **23**
Cecilia Rd. *Ram* —1E **31**
Cecil Pk. *H Bay* —3E **13**
Cecil Sq. *Mgte* —3G **5**
Cecil St. *Mgte* —3G **5**
Cedar Clo. *Broad* —6F **7**
Cedar Clo. *Mgte* —4B **6**
Cedar Rd. *Sturry* —2D **34**

Cedarview. *Cant* —1C **36**
Cedric Rd. *Wgte S* —4A **4**
Cement Cotts. *Bek* —5E **39**
Central Av. *H Bay* —2B **12**
Central Rd. *Ram* —1D **30**
Centre, The. *Mgte* —3G **5**
Centre, The. *Ram* —6A **22**
Chafy Cres. *Sturry* —3D **34**
Chain, The. *S'wch* —5C **40**
Chalford Dri. *H Bay* —5H **13**
Chalk Rd. *C'snd* —3H **29**
Chalkpit Hill. *Bek* —6H **39**
Challock Ct. *Clift* —3F **7**
Chamberlain Dri. *H Bay*
—1H **11**
Chambers Wall. *St N* —4B **16**
Chancel Ct. *Cant* —1D **36**
Chanctonbury Chase. *Sea*
—1C **24**
Chandos Rd. *Broad* —3H **23**
Chandos Sq. *Broad* —3H **23**
Channel Rd. *Mgte* —1A **22**
Channel View Ct. Ram —2F 31
(off Granville Marina)
Chantry Ct. *Cant* —1F **37**
Chapel Cottage. *H Bay* —5H **13**
Chapel Cotts. *H Bay* —4H **13**
Chapel Hill. *Mgte* —6H **5**
Chapel Hill Clo. *Mgte* —6H **5**
Chapel La. *Blean* —1A **32**
Chapel La. *B Oak* —1B **34**
Chapel La. *Sturry* —3D **34**
Chapel Pl. *Birch* —6E **3**
Chapel Pl. *Ram* —3D **30**
Chapel Pl. La. *Ram* —2D **30**
Chapel Rd. *Ram* —2C **30**
Chapel Row. *H Bay* —6E **13**
Chapel St. *H Bay* —2E **13**
Charing Clo. *Ram* —1C **30**
Charing Cres. *Wgte S* —6H **3**
Charles Rd. *Ram* —1E **31**
Charles St. *H Bay* —2D **12**
Charleston Ct. Broad —4H 23
(off W. Cliff Rd.)
Charlesworth Dri. *Birch* —6F **3**
Charlotte Ct. *Ram* —3E **31**
Charlotte Pl. *Mgte* —3H **5**
Charlotte St. *Broad* —3H **23**
Charlton Clo. *Ram* —5B **22**
Charnwood *Ches* —4D **10**
Charnwood Rd. *H Bay* —6F **13**
Chartham Hatch Rd. *Harb*
—1A **36**
Chartham Ter. Ram —4D 30
(off St Augustines Rd.)
Chartwell Av. *H Bay* —3H **13**
Chatham Ct. *Ram* —1D **30**
Chatham Pas. Ram —2E 31
(off Chatham St.)
Chatham Pl. *Ram* —2E **31**
Chatham St. *Ram* —2D **30**
Chatsworth M. *Ram* —3C **30**
Chaucer Av. *Whits* —4B **10**
Chaucer Clo. *Cant* —3A **38**
Chaucer Ct. *Cant* —3H **37**
Chaucer Rd. *Broad* —4G **23**
Chaucer Rd. *Cant* —1H **37**
Cheesmans Clo. *Min* —4G **27**
Chelsea Rd. *Cant* —4A **34**
Cheriton Av. *Ram* —1B **30**
Cherry Av. *Cant* —6D **32**

Cherry Ct.—Cross Rd.

Cherry Ct. *Cant* —5C **36**
Cherry Dri. *Cant* —6C **32**
Cherry Garden Rd. *Cant*
—6D **32**
Cherry Gdns. *Broad* —4C **22**
Cherry Gdns. *H Bay* —4C **12**
Cherry Orchard. *Ches* —6C **10**
Cherry Tree Gdns. *Ram*
—4B **22**
Chester Rd. *Wgte S* —5B **4**
Chestfield Ind. Est. *Ches*
—4B **10**
Chestfield Rd. *Ches* —4C **10**
Chestnut Av. *Blean* —2A **32**
Chestnut Dri. *Broad* —3D **22**
Chestnut Dri. *H Bay* —5B **12**
Chestnut Dri. *Sturry* —1E **35**
Cheviot Ct. *Broad* —2H **23**
Chichester Rd. *Ram* —6B **22**
Childgate Rd. *York* —5B **24**
Chilham Av. *Wgte S* —6H **3**
Chilton La. *Ram* —3A **30**
Chipman's Way. *Ram* —3C **26**
Chislet Ct. *H Bay* —2C **12**
Chrysler Av. *H Bay* —1G **11**
Church Av. *Ram* —3D **30**
Church Cotts. *F'wch* —4E **35**
Church Ct. Gro. *Broad* —1E **23**
Churchfield Pl. *Mgte* —3G **5**
Churchfields. *Broad* —6F **7**
Churchfields. *Mgte* —4H **5**
Church Hill. *Harb* —1C **36**
Church Hill. *Ram* —2E **31**
Churchill Av. *H Bay* —3H **13**
Churchill Rd. *Cant* —4A **38**
Church La. *Cant* —1G **37**
 (St Radigund's St.)
Church La. *Cant* —2F **37**
 (Stour St.)
Church La. *F'wch* —4E **35**
Church La. *Sea* —1C **24**
Church La. *Sturry* —3D **34**
Church La. *W'bre* —1G **35**
Church Rd. *Broad* —3H **23**
Church Rd. *Mgte* —4H **5**
Church Rd. *Ram* —2E **31**
Church Sq. *Broad* —3H **23**
Church St. *Broad* —1E **23**
Church St. *Mgte* —4H **5**
Church St. *Min* —4G **27**
Church St. *S'wch* —4C **40**
Church St. *St D* —1E **37**
Church St. *Whits* —4H **9**
Church St. St Mary's. *S'wch*
—4B **40**
Church St. St Paul's. *Cant*
—2G **37**
Church View. *H Bay* —3G **13**
Church Way. *Whits* —2D **10**
Church Wood Clo. *R Comn*
—6B **32**
Churchwood Dri. *Ches*
—4D **10**
Cinder Path. *Broad* —3G **23**
Citroen Clo. *H Bay* —1H **11**
City Bus. Pk. *Cant* —5A **34**
City View. *Cant* —2C **36**
Claire Ct. *Broad* —2H **23**
Clapham Hill. *Whits* —2E **25**
Clare Dri. *H Bay* —5A **12**
Claremont Gdns. *Ram* —2C **30**

Claremont Pl. *Cant* —3F **37**
Claremont Pl. *Ram* —1E **31**
Claremont St. *H Bay* —4A **12**
Clarence Av. *Clift* —3D **6**
Clarence Rd. *H Bay* —2B **12**
Clarence Rd. *Ram* —3B **30**
Clarence St. *H Bay* —2C **12**
Clarendon Gdns. *Ram* —3D **30**
Clarendon M. *Broad* —3G **23**
Clarendon Rd. *Broad* —3G **23**
Clarendon Rd. *Mgte* —3A **6**
Clarendon Rd. *H Bay* —3A **12**
Clare Rd. *Whits* —3G **9**
Cleaver La. *Ram* —2E **31**
Clement Clo. *Cant* —1H **37**
Clementine Clo. *H Bay*
—3H **13**
Clement's Rd. *Ram* —5C **22**
Cliff Av. *H Bay* —2G **13**
Cliff Dri. *H Bay* —3A **12**
Cliffe Av. *Mgte* —4D **4**
Cliff Field. *Wgte S* —5G **3**
Clifford Rd. *Whits* —5H **9**
Cliff Promenade. *Broad* —6H **7**
Cliff Rd. *Birch* —5C **2**
Cliff Rd. *Broad* —6H **7**
Cliff Rd. *Whits* —2H **9**
Cliff Sea Gro. *H Bay* —3A **12**
Cliffsend Gro. *C'snd* —4F **29**
Cliffsend Rd. *C'snd* —4F **29**
Cliffside Dri. *Broad* —6G **23**
Cliff St. *Ram* —3E **31**
Cliff Ter. *Mgte* —2H **5**
Clifftown Gdns. *H Bay* —1H **11**
Cliff View Rd. *C'snd* —3F **29**
Clifton Gdns. *Cant* —6D **32**
Clifton Gdns. *Mgte* —2H **5**
Clifton Lawn. *Ram* —4D **30**
Clifton Pl. *Mgte* —2H **5**
Clifton Rd. *Mgte* —3A **6**
 (in two parts)
Clifton Rd. *Ram* —1B **30**
Clifton Rd. *Whits* —5F **9**
Clifton St. *Mgte* —2H **5**
Cliftonville Av. *Mgte* —3A **6**
Cliftonville Av. *Ram* —6B **22**
Cliftonville Ct. *Mgte* —2A **6**
 (off Edgar Rd.)
Cliftonville M. *Clift* —2A **6**
Clive Rd. *C'snd* —3F **29**
Clive Rd. *Mgte* —2A **22**
Cloisters, The. *Cant* —1F **37**
 (off King St.)
Cloisters, The. *Ram* —4D **30**
Close Rd. *Cant* —4E **37**
Close, The. *Cant* —4F **33**
 (Downs Rd.)
Close, The. *Cant* —5C **32**
 (Thomas' Hill)
Clovelly Rd. *Whits* —6F **9**
Clover Rise. *Whits* —4B **10**
Clowes Ct. *Cant* —4C **32**
Clyde St. *Cant* —1G **37**
Coastguard Cotts. *H Bay*
—1F **11**
Coastguard Cotts. *Ram*
—4A **30**
Coastguard Ho. Cvn. Pk. *H Bay*
—1F **11**
Cobb Ct. *Mgte* —2H **5**
 (off Cobbs Pl.)

Cobblers Bri. Rd. *H Bay*
—3B **12**
Cobbs Pl. *Mgte* —2H **5**
Cobden Pl. *Cant* —1G **37**
Cobham Clo. *Cant* —4A **38**
Cockering Rd. *Cha & Cant*
 (in two parts) —6A **36**
Codrington Rd. *Ram* —2D **30**
Cogans Ter. *Cant* —4E **37**
Coggan Ho. *Cant* —3F **37**
 (off Station Rd. E.)
Colburn Rd. *Broad* —5G **23**
Cold Harbour. *Cant* —1G **37**
Coldswood Rd. *Ram* —4G **31**
Coleman Cres. *Ram* —5C **22**
Coleman's Stairs. *Birch* —5E **3**
Coleman's Stairs Rd. *Birch*
—5E **3**
Coleman's Yd. *Ram* —3E **31**
Colette Clo. *Broad* —3G **7**
Colewood Rd. *Whits* —2E **11**
Collard Clo. *H Bay* —3E **13**
Collard Ho. *Cant* —2A **38**
Collards Clo. *Monk* —2A **26**
College Rd. *Cant* —2H **37**
College Rd. *Mgte* —5G **5**
College Rd. *Ram* —1D **30**
College Sq. Shop. Cen. *Mgte*
—3H **5**
College Wlk. *Mgte* —3H **5**
Collingwood Clo. *Broad*
—3E **23**
Collingwood Clo. *Wgte S*
—6H **3**
Collingwood Rd. *Whits* —4E **9**
Collins Rd. *H Bay* —5A **12**
Colombo Sq. *Ram* —6A **22**
Columbia Av. *Whits* —6D **8**
Conference Wlk. *Cant* —2A **38**
 (off Russett Rd.)
Conifer Ct. *Wgte S* —4B **4**
Coniston Av. *Ram* —4D **30**
Connaught Gdns. *Mgte* —4H **5**
Connaught Rd. *Mgte* —4H **5**
Connors Ho. *Cant* —1H **37**
Conrad Av. *Cant* —5A **34**
Constable Rd. *Birch* —5E **3**
Consul Clo. *H Bay* —1H **11**
Continental App. *Mgte* —1H **21**
Convent Rd. *Broad* —5F **7**
Convent Wlk. *Ram* —4B **30**
Conway Clo. *Birch* —6C **2**
Conyngham Clo. *Ram* —5B **22**
Conyngham Rd. *H Bay*
—2H **13**
Conyngham Rd. *Min* —4G **27**
Coombe Wlk. *York* —5C **24**
Coopers Hill. *H Bay* —2D **12**
Coopers La. *Cant* —3E **37**
Copinger Clo. *Cant* —4G **33**
Copperfield Ct. *Broad* —2H **23**
Coppergate. *Cant* —6F **33**
Copperhurst Wlk. *Clift* —3E **7**
Coppice, The. *Sturry* —2D **34**
Copt Clo. *Sturry* —1D **34**
Cordingham Rd. *Sea* —1C **24**
Cornford Rd. *Birch* —1E **19**
Cornhill. *Ram* —3E **31**
Cornwall Av. *Ram* —1F **31**
Cornwall Gdns. *Cant* —3B **38**
Cornwall Gdns. *Clift* —3B **6**

Cornwallis Av. *H Bay* —4G **13**
Cornwallis Circ. *Whits* —4E **9**
Cornwallis Gdns. *Broad*
—1G **23**
Cornwall Rd. *H Bay* —3H **11**
Coronation Clo. *Broad* —6E **7**
Coronation Cres. *Mgte* —5D **4**
Coronation Rd. *Ram* —3D **30**
Coronation Rd. *Whits* —2E **25**
Corsican Wlk. *H Bay* —4G **13**
Corylus Dri. *Whits* —6C **8**
Cossington Rd. *Cant* —3G **37**
Cottage Rd. *Ram* —3E **31**
Cottage Row. *S'wch* —6B **40**
Cottington La. *Ram* —4D **28**
Cottington Rd. *C'snd* —4C **28**
Cotton Rd. *Win I* —3D **36**
Coulter Rd. *H Bay* —3H **11**
Countess Mountbatten Ct.
Wgte S —5A **4**
Courtlands Way. *Wgte S*
—4B **4**
Court Mt. Mobile Home Pk.
Birch —1E **19**
Court Rd. *St N* —4D **16**
Courts, The. *Mgte* —4C **4**
Covell's Row. *Mgte* —3G **5**
Coventina Ho. *Ram* —2D **30**
 (off High St. Ramsgate,)
Coventon La. *S'wch & Worth*
—6B **40**
Coventry Gdns. *H Bay* —2H **13**
Cowdrey Pl. *Cant* —4H **37**
Cow La. *Win I* —3D **36**
Cowley Rise. *Mgte* —5C **6**
Cowper Clo. *Whits* —2D **10**
Cowper Rd. *Mgte* —4H **5**
Coxes Av. *Ram* —4B **22**
Craddock Dri. *Cant* —1H **37**
Craddock Ho. *Cant* —1H **37**
Craddock Rd. *Cant* —1H **37**
Crampton Ct. *Broad* —3G **23**
Cranborne Wlk. *Cant* —5E **33**
Cranbourne Clo. *Ram* —1F **31**
Cranbrook Clo. *Clift* —4E **7**
Cranleigh Ct. *Whits* —5G **9**
Cranleigh Gdns. *Whits* —5G **9**
Cranmer Clo. *Bek* —6F **39**
Cranmer Ho. *Cant* —1D **36**
Craven Clo. *Mgte* —5E **5**
Crawford Gdns. *Mgte* —3B **6**
Crawford Rd. *Broad* —2F **23**
Creighton Flats. *S'wch* —4B **40**
 (off School Rd.)
Crescent Rd. *Birch* —6E **3**
Crescent Rd. *Broad* —5H **7**
Crescent Rd. *Mgte* —3F **5**
Crescent Rd. *Ram* —2C **30**
Crescent, The. *Cant* —5F **33**
 (Manwood Av.)
Crescent, The. *Cant* —3F **37**
 (off Castle Row)
Cresta Clo. *H Bay* —1F **11**
Crispe Pk. Clo. *Birch* —6F **3**
Crispe Rd. *Acol* —3C **18**
Crofton Rd. *Wgte S* —6A **4**
Croft's Pl. *Broad* —3H **23**
Cromwell Rd. *Cant* —4G **37**
Cromwell Rd. *Whits* —3F **9**
Crossley Av. *H Bay* —1F **11**
Cross Rd. *Birch* —5E **3**

Cross St. *Cant* —1E **37**
Cross St. *H Bay* —4B **12**
Crossways. *Cant* —4F **33**
Crossways Av. *Mgte* —2A **22**
Crow Hill. *Broad* —2H **23**
Crow Hill Rd. *Mgte* —5D **4**
Crown Gdns. *Cant* —1E **37**
Crown Hill Rd. *H Bay* —3A **12**
Crundale Way. *Clift* —4E **7**
Crystal Bus. Cen. *S'wch*
—3D **40**
Cudham Gdns. *Clift* —3E **7**
Culpepper Clo. *Cant* —4G **33**
Culvert, The. *H Bay* —2D **12**
Cumberland Av. *Broad*
—2G **23**
Cumberland Av. *Cant* —3B **38**
Cumberland Rd. *Clift* —2B **6**
Cumberland Rd. *Ram* —3D **30**
Cundishall Clo. *Whits* —5E **9**
Cunningham Cres. *Birch*
—6C **2**
Curlew Clo. *H Bay* —5G **13**
Curlinge Ct. *Ram* —3A **30**
Curzon Ho. Ram —3D **30**
(off Alpha Rd.)
Cushings View. *Whits* —3E **9**
Cushman Rd. *Cant* —3E **37**
Cuthbert Rd. *Wgte S* —5H **3**
Cuttings, The. *Ram* —1C **30**
Cypress Clo. *Whits* —6E **9**

Daimler Av. *H Bay* —2H **11**
Dalby Rd. *Mgte* —2A **6**
Dalby Sq. *Clift* —2A **6**
Dallinger Rd. *Birch* —5D **2**
Dalmally Vs. *B Oak* —3B **34**
Dalmaney Clo. *Broad* —2H **23**
Dalmeny Av. *Mgte* —4D **5**
Dalton Ct. *Ram* —2E **31**
Damerham Clo. *Cant* —5E **33**
Dane Ct. Gdns. *Broad* —2D **22**
Dane Ct. Rd. *Broad* —6C **6**
Dane Cres. *Ram* —1E **31**
Danecroft Ct. Cant —1F **37**
(off King St.)
Danecroft Ho. Cant —1F **37**
(off King St.)
Dane End Rd. *Wgte S* —5H **3**
Dane Gdns. *Mgte* —5C **6**
Dane Hill. *Mgte* —3H **5**
Dane Hill Gro. *Mgte* —3H **5**
Dane Hill Row. *Mgte* —3H **5**
Danehurst. *Wgte S* —4A **4**
Dane John Cotts. *Cant*
—3F **37**
Dane John Ct. *Cant* —3F **37**
Dane John M. *Cant* —3F **37**
Dane John Wlk. *Cant* —3F **37**
Dane Mt. *Mgte* —5C **6**
Dane Pk. Rd. *Mgte* —3H **5**
Dane Pk. Rd. *Ram* —1E **31**
Dane Rd. *Birch* —6A **2**
Dane Rd. *Mgte* —3H **5**
Dane Rd. *Ram* —1E **31**
Danesmead Ter. *Mgte* —3H **5**
Dane Valley Rd. *Mgte & St Pet*
(in two parts) —4B **6**
Daniels Ct. *Whits* —4E **9**
Darenth Clo. *H Bay* —4F **13**

Dargate Rd. *Dar & Denst*
—4C **24**
Dargate Rd. *York* —5B **24**
Darnley Clo. *Broad* —4F **23**
Darrell Clo. *H Bay* —4A **12**
Darren Gdns. *Broad* —5F **23**
Darwin Rd. *Birch* —5D **2**
Daryngton Av. *Birch* —6A **2**
David Av. *Clift* —3D **6**
David's Clo. *Broad* —4H **23**
Davidson Rd. *Cant* —1D **36**
Daytona Way. *H Bay* —1G **11**
Deal Rd. *S'wch* —6B **40**
Dean Ct. *Cant* —1G **37**
Dean Croft. *H Bay* —5F **13**
Deane Clo. *Whits* —6G **9**
Deansway Av. *Sturry* —1D **34**
Deborah Clo. *Whits* —6H **9**
De Havillands. *Bek* —6H **39**
Delacourt Clo. *C'snd* —4E **29**
Delaware Clo. *Sturry* —2D **34**
Delfside. *S'wch* —5C **40**
Delf St. *S'wch* —4B **40**
Delmar Clo. *Whits* —2D **10**
Denbigh Rd. *Mgte* —6A **22**
Dence Clo. *H Bay* —2F **13**
Dence Pk. *H Bay* —3F **13**
Dene, The. *Cant* —5H **37**
Dene Wlk. *Mgte* —6H **5**
Dengrove Bungalows. *B Oak*
—2B **34**
Denmark Pl. *Cant* —1G **37**
Denmark Rd. *Ram* —2E **31**
Denne Clo. *Sturry* —1D **34**
Denstead Ct. *Cant* —4C **32**
Dent-de-Lion Ct. *Mgte* —5C **4**
Dent-de-Lion Rd. *Mgte* —5C **4**
Dent-de-Lion Rd. *Wgte S*
—4A **4**
Denton Way. *Mgte* —4C **6**
Dering Rd. *H Bay* —3D **12**
Derwent Av. *Ram* —2A **30**
D'este Rd. *Ram* —2F **31**
Detling Av. *Broad* —6G **23**
Devon Gdns. *Birch* —1D **18**
Devon Rd. *Cant* —2B **38**
Devonshire Gdns. *Mgte* —3B **6**
Devonshire Ter. *Broad* —2H **23**
Diamond Rd. *Whits* —3G **9**
Dickens Av. *Cant* —6A **34**
Dickens Rd. *Broad* —2H **23**
Dilnot La. *Acol* —4F **19**
Discovery Wlk. *Cant* —3A **38**
Doggerel Acre. *Whits* —6H **9**
Dolphin Clo. *Broad* —3G **7**
Dolphin St. *H Bay* —2C **12**
Domneva Rd. *Min* —3F **27**
Domneva Rd. *Wgte S* —5H **3**
Donegal Rd. *Cant* —2A **38**
Donnahay Rd. *Ram* —4C **22**
Donnithorne Ho. H Bay
(off Brunswick Sq.) —2C **12**
Dorcas Gdns. *Broad* —1G **23**
Doric Ct. *Ram* —4C **30**
Dorothy Dri. *Ram* —5C **22**
Dorset Clo. *Whits* —6D **8**
Dorset Gdns. *Birch* —6D **2**
Dorset Rd. *Cant* —3B **38**
Douglas Av. *Whits* —4G **9**
Douglas Clo. *Broad* —2E **23**
Douglas Rd. *H Bay* —3E **13**

Douro Clo. *Cant* —1B **38**
Dove Clo. *Whits* —6E **9**
Dovedale. *Birch* —6F **3**
Dove Dale Ct. *Birch* —6F **3**
Dover Rd. *S'wch* —6B **40**
Dover St. *Cant* —2G **37**
Down Barton Rd. *St N* —6D **16**
Downings, The. *H Bay* —5E **13**
Downs Av. *Whits* —4G **9**
Downs Pk. *H Bay* —3E **13**
Downs Rd. *Cant* —4E **33**
Downs Rd. *Ram* —3A **30**
Downs, The. Ram —4D **30**
(off Royal Esplanade)
Dragoon Ho. Cant —1G **37**
(off Artillery Gdns.)
Drapers Av. *Mgte* —5H **5**
Drapers Clo. *Mgte* —5A **6**
Drive, The. *Cant* —4H **37**
Drive, The. *Ches* —5D **10**
Drove, The. *Ches* —6D **10**
Drove, The. *F'wch* —4E **35**
Drove, The. *Monk* —2A **26**
Drybeck Av. *Ram* —2H **29**
Dryden Clo. *Cant* —3A **38**
Duck La. *Cant* —1G **37**
Dudley Av. *Wgte S* —5G **3**
Duke St. *Mgte* —2G **5**
Dumpton Gap Rd. *Broad*
—5G **23**
Dumpton La. *Ram* —6E **23**
Dumpton Pk. Dri. *Ram* —1F **31**
Dumpton Pk. Rd. *Ram* —1E **31**
Duncan Dri. *Birch* —5C **2**
Duncan Rd. *Whits* —6F **9**
Duncombe M. *Cant* —6H **33**
Duncon Rd. *Ram* —3D **30**
Dundonald Rd. *Broad* —3H **23**
Dundonald Rd. *Ram* —2C **30**
Dunedin Rd. *Ram* —6A **22**
Dunoon Ct. *Ram* —6F **23**
Dunstan Av. *Wgte S* —5H **3**
Durban Clo. *Ram* —6A **22**
Durban Rd. *Mgte* —4A **6**
Durham Clo. *Cant* —4F **37**
Durlock. *Min* —4G **27**
Durlock Av. *Ram* —4B **30**
Durnford Clo. *Cant* —6E **33**
Durovernum Ct. *Cant* —3G **37**
Dymchurch Ho. Cant —2H **37**
(off St Martin's Pl.)

Eagle Hill. *Ram* —2D **30**
Ealham Clo. *Cant* —5H **37**
Earlsmead Cres. *C'snd* —4E **29**
Eastchurch Rd. *Clift* —3E **7**
E. Cliff Pde. *H Bay* —2E **13**
E. Cliff Promenade. *Broad*
—3H **23**
Eastern Esplanade. *Broad*
—1H **23**
Eastern Esplanade. *Mgte*
—2A **6**
Eastfield Rd. *Birch* —6E **3**
Eastgate Clo. *H Bay* —4F **13**
E. Northdown Clo. *Clift* —4E **7**
East Rise. *Ram* —6B **22**
East St. *Cant* —5A **34**
East St. *H Bay* —2E **13**
Eaton Hill. *Mgte* —3G **5**

Eaton Rd. *Mgte* —3G **5**
Ebbsfleet La. *Ram* —4C **28**
Eddie Willet Rd. *H Bay* —2H **11**
Eddington Bus. Pk. *Edd B*
—4D **12**
Eddington La. *H Bay* —4B **12**
Eddington Way. *H Bay* —4C **12**
Edenbridge Ho. *Cant* —2H **37**
Eden Ct. *H Bay* —3B **12**
Edenfield. *Birch* —6F **3**
Eden Rd. *Sea* —6C **8**
Edgar Clo. *Whits* —2D **10**
Edgar Rd. *Cant* —1H **37**
Edgar Rd. *Mgte* —2A **6**
Edgar Rd. *Min* —3F **27**
Edge End Rd. *Broad* —3F **23**
Edinburgh Rd. *Mgte* —5D **4**
Edinburgh Wlk. Mgte —5D **4**
(off Edinburgh Rd.)
Edith Rd. *Ram* —3C **30**
Edith Rd. *Wgte S* —4B **4**
Edmanson Av. *Mgte* —4C **4**
Edward Dri. *Birch* —6F **3**
(Canterbury Rd.)
Edward Dri. *Birch* —6E **3**
(Neame Rd.)
Edward Rd. *Cant* —2G **37**
Edward Rd. *Whits* —2E **25**
Effingham St. *Ram* —3E **31**
Egbert Rd. *Min* —3F **27**
Egbert Rd. *Wgte S* —4A **4**
Egdert Rd. *Birch* —5B **2**
Egerton Dri. *Clift* —3E **7**
Elbridge Hill. *Sturry* —4H **35**
Elder Cotts. *H Bay* —4H **13**
Eldon Pl. *Broad* —3H **23**
Elfrida Clo. *Mgte* —5C **6**
Elgar Pl. *Ram* —1E **31**
Elham Clo. Mgte —4C **6**
(off Lyminge Way.)
Elham Rd. *Cant* —4E **37**
Elham Way. *Broad* —5G **23**
Elizabeth Ct. *Broad* —6H **7**
Elizabeth Ct. H Bay —2D **12**
(off Queen St.)
Elizabeth Kemp Ct. *Ram*
—6C **22**
Elizabeth Rd. *Ram* —3F **31**
Elizabeth Way. *H Bay* —4F **13**
Ellen Av. *Ram* —6E **23**
Ellenden Ct. *Cant* —4C **32**
Ellington Av. *Mgte* —5D **4**
Ellington Pl. *Ram* —2C **30**
Ellington Rd. *Ram* —2C **30**
Elliot Clo. *Cant* —5A **34**
Ellison Clo. *Ches* —4C **10**
Ellisons Wlk. Cant —2A **38**
(off Nonsuch Clo.)
Ellis Rd. *Whits* —2A **10**
Ellis Way. *H Bay* —5G **13**
Elm Ct. *Wgte S* —5A **4**
Elm Gro. *Cant* —5C **32**
Elm Gro. *Wgte S* —5H **3**
Elmley Way. *Mgte* —6H **5**
Elms Av. *Ram* —2D **30**
Elmstone Gdns. *Clift* —4E **7**
Elmstone Rd. *Ram* —2D **30**
Elm Vs. *Cant* —6C **32**
Elmwood Av. *Broad* —6G **7**
Elmwood Clo. *Broad* —6G **7**
Elm Wood Clo. *Whits* —3C **10**

Elm Wood W. *Whits* —3C **10**
Emmerson Gdns. *Whits*
—2C **10**
Empire Ter. *Mgte* —5G **5**
Enterprise Rd. *Mgte* —1H **21**
Enticott Clo. *Whits* —4A **10**
Epping Clo. *H Bay* —5F **13**
Epple Bay Av. *Birch* —5E **3**
Epple Bay Rd. *Birch* —5D **2**
Epple Cotts. *Birch* —5F **3**
Epple Rd. *Birch* —5F **3**
Ersham Rd. *Cant* —3G **37**
Eskdale Av. *Ram* —2A **30**
Esmonde Dri. *Mans* —2C **11**
Esplanade. *Wgte S* —4G **3**
Essex Av. *H Bay* —1H **11**
Essex Gdns. *Birch* —1D **18**
Essex Rd. *Cant* —3B **38**
Essex Rd. *Wgte S* —5B **4**
Essex St. *Whits* —5F **9**
Estuary Clo. *Whits* —2E **11**
Ethelbert Cres. *Mgte* —2A **6**
Ethelbert Gdns. *Mgte* —2H **5**
Ethelbert Rd. *Birch* —5B **2**
Ethelbert Rd. *Cant* —4G **37**
Ethelbert Rd. *Mgte* —2H **5**
Ethelbert Rd. *Ram* —3D **30**
Ethelbert Sq. *Wgte S* —4A **4**
Ethelbert Ter. *Mgte* —2H **5**
Ethelred Rd. *Wgte S* —4A **4**
Ethel Rd. *Broad* —2F **23**
Evelings All. Whits —3F 9
(off Middle Wall)
Eynsford Clo. *Clift* —3F **7**

Fairacre. *Broad* —3E **23**
Fairacres Clo. *H Bay* —3G **13**
Fairfax Dri. *H Bay* —2B **14**
Fairfax Pk. *Broad* —3E **23**
Fairfield Rd. *Broad* —3E **23**
Fairfield Rd. *Min* —2F **27**
Fairfield Rd. *Ram* —5E **23**
Fairfield St. *Whits* —6E **9**
Fairlawn. *Ches* —4D **10**
Fairlawn Rd. *Ram* —4B **22**
Fairlight Av. *Ram* —1B **30**
Fairoaks. *H Bay* —3F **13**
Fair St. *Broad* —3E **23**
Fairview Clo. *Mgte* —3A **6**
Fairview Gdns. *Sturry* —2E **35**
Fairway Cres. *Sea* —6C **8**
Fairway, The. *H Bay* —5B **12**
Falala Way. *Cant* —1H **37**
Farleigh Rd. *Cant* —5G **33**
Farley Rd. *Mgte* —6H **5**
Farm Ho. Clo. *Whits* —5H **9**
Farrar Rd. *Birch* —1E **19**
Farthings Ct. *Cant* —4C **32**
Faulkners La. *Harb* —2A **36**
Faversham Rd. *Sea* —6A **8**
Fenoulhet Way. *H Bay* —2E **13**
Fern Clo. *Ches* —4C **10**
Fern Ct. *Broad* —2H **23**
Ferndale Ct. *Birch* —1E **19**
Fernlea Av. *H Bay* —3C **12**
Field Av. *Cant* —5B **34**
Field View. *Whits* —6D **8**
Field Way. *Sturry* —3D **34**
Fiesta Wlk. *Cant* —3A **38**
Fife Rd. *H Bay* —3H **11**

Fifth Av. *Clift* —2B **6**
Fig Tree Rd. *Broad* —6F **7**
Finches, The. *St N* —5E **17**
Finsbury Ct. Ram —1E 31
(off Finsbury Rd.)
Finsbury Rd. *Ram* —2E **31**
Firbank Gdns. *Mgte* —6F **5**
Firbanks. *Whits* —5H **9**
First Av. *Broad* —3F **7**
First Av. *Mgte* —2B **6**
Fir Tree Clo. *Ram* —3C **30**
Firtree Clo. *R Comn* —5A **32**
Fishermans Wharf. S'wch
(off Quay, The) —4C **40**
Fisher Rd. *Cant* —1D **36**
Fisher St. *S'wch* —4C **40**
Fitzmary Av. *Mgte* —4C **4**
Fitzroy Av. *Broad* —3F **7**
Fitzroy Av. *Mgte* —4B **6**
Fitzroy Av. *Ram* —5B **22**
Fitzroy Rd. *Whits* —2H **9**
Fleets La. *T Hill* —1D **32**
Fleetwood Av. *H Bay* —3B **12**
Fletcher Rd. *Whits* —4B **10**
Flete Rd. *Mgte* —3F **21**
Flora Rd. *Ram* —1E **31**
Florence Av. *Whits* —6C **9**
Florence Ct. *Mgte* —2B **6**
Florence Rd. *Ram* —3D **30**
Foads Hill. *C'snd* —3F **29**
Foads La. *C'snd* —5F **29**
Ford Clo. *H Bay* —1G **11**
Ford Hills. *Hoath* —6A **14**
Ford Wlk. *York* —4C **24**
Fordwich Gro. *Broad* —6E **7**
Fordwich Pl. *S'wch* —5B **40**
Fordwich Rd. *Sturry* —3D **34**
Foreland Av. *Mgte* —3D **6**
Foreland Ct. *Ram* —4D **30**
Foreland Pk. Ho. *Broad* —6H **7**
Foreland, The. *Cant* —5H **37**
Foreness Clo. *Broad* —2G **7**
Forge Clo. *Sturry* —3D **34**
Forge La. Ram —2C 30
(off High St. St Lawrence,)
Forge La. *Whits* —5F **9**
Forrester Clo. *Cant* —6A **34**
Fort Cres. *Mgte* —2H **5**
Fort Hill. *Mgte* —2G **5**
Fort Lwr. Promenade. *Mgte*
—2H **5**
Fort Mt. *Mgte* —2H **5**
Fort Pde. *Mgte* —2H **5**
Fort Paragon. *Mgte* —2H **5**
Fort Promenade. *Mgte* —2H **5**
Fort Rd. *Broad* —3H **23**
Fort Rd. *Mgte* —2G **5**
Fortuna Ct. *Ram* —2D **30**
Forty Acres Rd. *Cant* —1E **37**
Foster's Av. *Broad* —6E **7**
Fountain St. *Whits* —3F **9**
Fowler's Drove. *H Bay* —3G **15**
Foxborough La. *Min* —3G **27**
Foxdown Clo. *Cant* —6E **33**
Foxgrove Rd. *Whits* —4A **10**
Foxhunter Pk., The. Monk
—3B **26**
Fox's Cross Hill. *Whits* —4C **24**
Fox's Cross Rd. *York* —4D **24**
Frances Gdns. *Ram* —1F **31**

Francis Rd. *Broad* —6H **7**
Francissan Way. Cant —2F 37
(off Water La.)
Franklyn Ho. *Sturry* —3D **34**
Franklyn Rd. *Cant* —3C **36**
Frank Walters Bus. Pk., The.
Broad —3D **22**
Freda Clo. *Broad* —6F **23**
Freeman's Clo. *Sea* —1C **24**
Freeman's Rd. *Min* —3F **27**
Frencham Clo. *Cant* —4G **33**
Freshlands. *H Bay* —2A **14**
Freshwater Clo. *H Bay* —2H **11**
Friars Clo. *Whits* —4H **9**
Friars, The. *Cant* —2F **37**
Friary Way. *Cant* —6D **32**
Friendly Clo. *Mgte* —4D **6**
Friends Av. *Mgte* —5D **6**
Friend's Gap. Clift —2D 6
Frost Farm Cvn. Pk. *St N*
—5F **17**
Frost La. *St N* —4F **17**
Fulham Av. *Mgte* —6D **4**
Fulsham Pl. *Mgte* —4F **5**
Futzgerald Av. *H Bay* —4A **12**

Gainsborough Dri. *H Bay*
—2A **14**
Gainsborough Rd. *Birch*
—5D **2**
Galliard St. *S'wch* —5C **40**
Gallwey Av. *Birch* —6C **2**
Gann Rd. *Whits* —3H **9**
Gap, The. *Blean* —1A **32**
Gap, The. *Cant* —5H **37**
Garden Clo. *R Comn* —6A **32**
Gardeners Quay. S'wch
(off Up. Strand St.) —4C **40**
Garfield Rd. *Mgte* —3F **5**
Garrard Av. *Mgte* —5D **4**
Gas Pas. *Cant* —3F **37**
Gas St. *Cant* —3F **37**
Gateacre Rd. *Sea* —1C **24**
Gateway Ct. Ram —2F 31
(off Victoria Pde.)
Genesta Av. *Whits* —6D **8**
Geoffrey Ct. *Birch* —6E **3**
George V Av. *Mgte* —5D **4**
George Hill Rd. *Broad* —4F **7**
George Hill Rd. *Mgte* —4E **7**
George Roche Rd. Cant
—4F **37**
Georges Av. *Whits* —6C **8**
George St. *Ram* —2E **31**
George Warren Ct. Mgte
—4H **5**
Gilbert Rd. *Ram* —1D **30**
Gilchrist Av. *H Bay* —5A **12**
Giles Gdns. *Mgte* —5H **5**
Giles La. *Cant* —5C **32**
Gilling Drove. *Cant* —6A **4**
Gillon M. *Cant* —1H **37**
Gladstone Rd. *Broad* —4F **23**
Gladstone Rd. *Mgte* —4G **5**
Gladstone Rd. *Whits* —3F **9**
Glebe Ct. *Ram* —4F **27**
Glebe Gdns. *Mgte* —5D **4**
Glebe Rd. *Mgte* —5D **5**
Glebe Way. *Whits* —5F **9**
Glen Av. *H Bay* —2G **13**

Glenavon Ho. *Broad* —6H **7**
(off Francis Rd.)
Glenbervie Dri. *H Bay* —2A **14**
Glenbrook Clo. *H Bay* —2H **13**
Glencoe Rd. *Mgte* —4A **6**
Glen Iris Av. *Cant* —6C **32**
Glen Iris Clo. *Cant* —6C **32**
Glenside. *Whits* —5A **10**
Glenside Av. *Cant* —6H **33**
Glen Wlk. *York* —4C **24**
Gloucester Av. *Broad* —4F **23**
Gloucester Av. *Clift* —3D **6**
Gloucester Rd. *Whits* —3H **9**
Godden Rd. *Cant* —4G **33**
Godfrey Ho. *Whits* —5G **9**
Godwin Rd. *Cant* —4C **36**
Godwin Rd. *Clift* —3A **6**
Goldcrest Wlk. *Whits* —1D **24**
Golden Acre La. Wgte S
—6H **3**
Golden Clo. *Wgte S* —6H **3**
Golden Hill. *Whits* —6H **9**
(in two parts)
Goldfinch Clo. *H Bay* —5G **13**
Goodwin Av. *Whits* —3D **10**
Goodwin Rd. *Ram* —3B **30**
Gordon Gro. *Wgte S* —4A **4**
Gordon Rd. *Cant* —3F **37**
Gordon Rd. *H Bay* —3D **12**
Gordon Rd. *Mgte* —2A **6**
Gordon Rd. *Ram* —1D **30**
Gordon Rd. *W'wd* —2A **22**
Gordon Rd. *Whits* —5F **9**
Gordon Sq. *Birch* —6D **2**
Gore End Clo. *Birch* —6C **2**
Gore M. *Cant* —6H **33**
Gorrell Ct. *Whits* —5G **9**
Gorrell Rd. *Whits* —4G **9**
Gorse La. *H Bay* —5G **13**
Gosfield Rd. *H Bay* —3E **13**
Gosselin St. *Whits* —5F **9**
Goudhurst Clo. *Cant* —4G **33**
Grafton Rise. *H Bay* —4A **12**
Grafton Rd. *Broad* —5E **7**
Granary Pl. *Whits* —6F **9**
Grand Dri. *H Bay* —1H **11**
Grange Ct. *Ram* —4C **30**
Grange Rd. *Broad* —6F **7**
Grange Rd. *H Bay* —3F **13**
(in two parts)
Grange Rd. *Ram* —2C **30**
Grange, The. *Sea* —1C **24**
Grange Way. *Broad* —5F **23**
Grant Clo. *Broad* —1E **23**
Granville Av. *Broad* —4H **23**
Granville Av. *Ram* —6B **22**
Granville Dri. *H Bay* —3H **11**
Granville Farm. *Ram* —2F **31**
Granville Marina. *Ram* —2F **31**
Granville Marina Ct. Ram
—2F **31**
(off Granville Marina)
Granville Rd. *Broad* —4H **23**
Grasmere Av. *Ram* —2A **30**
Grasmere Rd. *Whits* —4A **10**
(in two parts)
Gravel Wlk. *Cant* —2F **37**
Graystone Rd. *Whits* —2A **10**
Grays Way. *Cant* —4B **36**
Green Acres Clo. *H Bay*
—4F **13**

Green Cloth M. *Cant* —6H **33**
(off Brymore Clo.)
Green Dell. *Cant* —4G **33**
Greenfield Cotts. *Cant* —3F **37**
Greenfield Rd. *Ram* —5C **22**
Greenhill Bri. Rd. *H Bay*
—4B **12**
Greenhill Clo. *Min* —2F **27**
Greenhill Gdns. *H Bay* —4B **12**
Greenhill Gdns. *Min* —2F **27**
Greenhill Rd. *H Bay* —3H **11**
Greenhouse La. *Cant* —6E **33**
Green La. *Broad* —2E **23**
Green La. *Mgte* —5D **6**
Green La. *Whits* —5F **9**
Green Leas *Ches* —4D **10**
Green Rd. *Birch* —5D **2**
Greensole La. *Ram* —1G **29**
Green, The. *Blean* —2A **32**
Green, The. *Mans* —6F **21**
Grenham Bay Av. *Birch* —5C **2**
Grenham Rd. *Birch* —5C **2**
Grenville Gdns. *Birch* —5C **2**
Grenville Way. *Broad* —3E **23**
Gresham Av. *Mgte* —4C **4**
Grey Friars Cotts. *Cant* —2F **37**
Grey Friars Ct. *Broad* —4F **7**
Greystones Rd. *C'snd* —4F **29**
Grimshill Ct. *Cant* —4C **32**
Grimshill Rd. *Whits* —5F **9**
Grimthorpe Av. *Whits* —6E **9**
Grinan Ct. *Ram* —6F **23**
Grinsell Hill. *Ram* —3A **28**
Grosvenor Gdns. *Mgte* —4G **5**
Grosvenor Hill. *Mgte* —3G **5**
Grosvenor Pl. *Mgte* —3G **5**
Grosvenor Rd. *Broad* —3G **23**
Grosvenor Rd. *Ram* —2C **30**
Grosvenor Rd. *Whits* —6F **9**
Grotto Gdns. *Mgte* —3H **5**
Grotto Hill. *Mgte* —3H **5**
Grotto Rd. *Mgte* —3H **5**
Grove Gdns. *Mgte* —4E **5**
Grove Rd. *Ram* —3D **30**
Grove Ter. *Cant* —3E **37**
Grove, The. *H Bay* —5A **12**
Grove, The. *Wgte S* —5B **4**
Grummock Av. *Ram* —2B **30**
Grundy's Hill. *Ram* —3E **31**
Guildcount La. *S'wch* —4B **40**
Guildford Av. *Wgte S* —5H **3**
Guildford Lawn. *Ram* —3D **30**
Guildford Rd. *Cant* —4F **37**
Guildhall St. *Cant* —2F **37**
Guy Clo. *Broad* —6G **7**
Gwyn Rd. *Ram* —5C **22**

Hackington Clo. *Cant* —4E **33**
Hackington Pl. *Cant* —6F **33**
Hackington Rd. *Cant* —2E **33**
Hackington Ter. *Cant* —6F **33**
Hadleigh Gdns. *H Bay* —2F **13**
Hadlow Dri. *Clift* —3E **7**
Haine Ind. Est. *Ram* —6H **21**
Haine Rd. *Ram* —2H **29**
Hales Dri. *Cant* —5F **33**
Halfmile Ride. *Mgte* —6G **5**
Halford Clo. *H Bay* —5F **13**
Hall By The Sea Rd. *Mgte*
—3G **5**

Hallcroft Clo. *Ram* —2C **30**
Hallett Wlk. *Cant* —6H **33**
Halstead Clo. *Cant* —4G **33**
Halstead Gdns. *Clift* —2F **7**
Halt, The. *Whits* —6H **9**
Hamilton Clo. *Ram* —6A **22**
Hamilton Rd. *Whits* —4F **9**
Hampshire Rd. *Cant* —3B **38**
Hampton Clo. *H Bay* —2G **11**
Hampton Gdns. *H Bay* —2G **11**
Hampton Pier Av. *H Bay*
—2A **12**
Ham Shades La. *Whits* —4A **10**
Hanover Clo. *Clift* —3E **7**
Hanover Pl. *Cant* —6F **33**
Hanover Sq. *H Bay* —2D **12**
Hanover St. *H Bay* —2D **12**
Harbledown By-Pass. *Harb*
—1A **36**
Harbledown Gdns. *Clift* —2E **7**
Harbledown Pk. *Harb* —1C **36**
Harbledown Ter. *Harb* —1C **36**
Harbour Pde. *Ram* —3E **31**
Harbour St. *Broad* —3H **23**
Harbour St. *Ram* —3E **31**
Harbour St. *Whits* —3F **9**
Harbour Towers *Ram* —3E **31**
(off Albert St.)
Harcourt Dri. *Cant* —6D **32**
Harcourt Dri. *H Bay* —1H **11**
Hardres Rd. *Ram* —2E **31**
Hardres St. *Ram* —2E **31**
Hardy Clo. *Cant* —1C **36**
Harkness Dri. *Cant* —6D **32**
Harmsworth Gdns. *Broad*
—2G **23**
Harnet St. *S'wch* —4B **40**
Harold Av. *Wgte S* —5A **4**
Harold Rd. *Birch* —5B **2**
Harold Rd. *Clift* —3B **6**
Harriets Corner. *Sea* —3C **24**
Harrison Rd. *Ram* —3D **30**
Harrow Dene. *Broad* —2E **23**
Harry Wells Rd. *H Bay* —2H **11**
Hartsdown Rd. *Mgte* —4E **5**
(in two parts)
Harvest Ct. *H Bay* —5G **13**
Harvey Dri. *Ches* —4B **10**
Harwich St. *Whits* —5F **9**
Hassall Reach. *Cant* —4B **36**
Hastings Av. *Mgte* —4A **6**
Hastings Pl. *S'wch* —5B **40**
Hatfield Rd. *Mgte* —3E **5**
Hatfield Rd. *Ram* —2D **30**
Hatherley Ct. *Mgte* —2A **6**
(off Percy Rd.)
Havelock St. *Cant* —2G **37**
Haven Dri. *H Bay* —1B **14**
Hawe Clo. *Cant* —4G **33**
Hawe Farm Way. *H Bay*
—6F **13**
Hawe La. *Sturry* —1E **35**
Hawes Av. *Ram* —2B **30**
Hawk Clo. *Whits* —6E **9**
Hawkhurst Clo. *Birch* —5F **3**
Hawkhurst Way. *Broad*
—5G **23**
Hawk's La. *Cant* —2F **37**
Hawks Rd. *H Bay* —3H **11**
Hawley Sq. *Mgte* —3H **5**
Hawley St. *Mgte* —3G **5**

Hawthorn Av. *Cant* —6G **33**
Hawthorn Clo. *Ram* —6E **23**
Hawthorns, The. *Broad*
—3C **22**
Hayes All. *Whits* —3F **9**
(off Middle Wall)
Hazelmere Dri. *H Bay* —2H **13**
Hazel Wlk. *Broad* —3C **22**
Hazelwood Meadow. *S'wch*
—6B **40**
Hazlemere Rd. *Sea* —6C **8**
Headcorn Dri. *Cant* —4G **33**
Headcorn Gdns. *Clift* —3E **7**
Heart In Hand Rd. *Haw*
—5B **14**
Heath Clo. *Sturry* —1D **34**
Heather Clo. *Mgte* —5E **5**
Heath, The. *Whits* —4B **10**
Heathwood Dri. *Ram* —6E **23**
Heaton Rd. *Cant* —4E **37**
Hedgend Ind. Est. *St N* —4F **17**
Heel La. *B Oak* —1A **34**
Heights, The. *Whits* —6E **9**
Helding Clo. *H Bay* —5F **13**
Helena Av. *Mgte* —5G **5**
Helmdon Clo. *Ram* —5C **22**
Helvellyn Av. *Ram* —2B **30**
Hendy Clo. *Whits* —2C **10**
Hengist Av. *Mgte* —4B **6**
Hengist Rd. *Birch* —6A **2**
Hengist Rd. *Wgte S* —5H **3**
Henry Ct. *Cant* —3F **37**
Herbert Rd. *Ram* —3C **30**
Hereford Gdns. *Birch* —1D **18**
Hereson Rd. *Ram* —1F **31**
Hereward Av. *Birch* —5C **2**
Herne Av. *H Bay* —4E **13**
Herne Bay Rd. *B Oak & Sturry*
—1C **34**
Herne Bay Rd. *Whits* —2B **10**
Herne Bay W. Ind. Est. *H Bay*
—4A **12**
Herne Dri. *H Bay* —5A **12**
Herne St. *H Bay* —6E **13**
Herneville Gdns. *H Bay*
—3F **13**
Herschell Rd. *Birch* —5D **2**
Hertford Ct. *Cant* —2A **38**
Hertford Ho. *Ram* —3E **31**
(off Hertford Pl.)
Hertford Pl. *Ram* —3E **31**
Hertford Rd. *Mgte* —5C **6**
Hertford St. *Ram* —3D **30**
Hever Pl. *Cant* —5G **33**
Heywood M. *Cant* —1H **37**
Hibernia St. *Ram* —3E **31**
Highbury Gdns. *Ram* —4B **22**
Highbury Wlk. *Ram* —5B **22**
Highfield Clo. *Blean* —5B **32**
Highfield Clo. *Ram* —4B **22**
Highfield Ct. *H Bay* —3C **12**
Highfield Ct. *Ram* —5B **22**
Highfield Gdns. *Mgte* —4F **5**
Highfield Rd. *Ram* —4B **22**
Highfields Av. *H Bay* —3G **13**
Highfields View. *H Bay* —3G **13**
Highgate Rd. *Whits* —3G **9**
High St. Broadstairs, *Broad*
—3G **23**
High St. Canterbury, *Cant*
—2F **37**

High St. Fordwich, *F'wch*
—4E **35**
High St. Garlinge, *Gar* —1D **20**
High St. Herne Bay, *H Bay*
—2C **12**
High St. Manston, *Mans*
—1E **29**
High St. Margate, *Mgte* —3G **5**
High St. Minster, *Min* —3G **27**
High St. Ramsgate, *Ram*
—2D **30**
High St. St Gregory's. *Cant*
—1G **37**
High St. St Lawrence. *St Law*
—2B **30**
High St. St Peter's, *St Pet*
—2E **23**
High St. Sandwich, *S'wch*
—4C **40**
High St. Sturry, *Sturry* —3D **34**
High St. Whitstable, *Whits*
—3F **9**
Highstreet Rd. *Hern* —5A **24**
High View Av. *H Bay* —1H **11**
Hilary Clo. *H Bay* —3G **13**
Hildersham Clo. *Broad* —2E **23**
Hillborough Bus. Pk. *H Bay*
—3B **14**
Hillborough Dri. *H Bay* —1B **14**
Hillborough Rd. *H Bay* —2F **13**
Hillbrow Av. *H Bay* —5F **13**
Hillbrow Av. *Sturry* —1D **34**
Hillbrow Rd. *Ram* —1D **30**
Hillcroft Rd. *H Bay* —4F **13**
Hiller Clo. *Broad* —1G **23**
Hillman Av. *H Bay* —1G **11**
Hillside Av. *Cant* —1C **36**
Hillside Rd. *Whits* —4A **10**
Hill Top Rd. *H Bay* —2F **13**
Hillview. *Mgte* —6F **5**
Hillview Rd. *Cant* —6C **32**
Hillview Rd. *Whits* —5F **9**
Hinchliffe Way. *Mgte* —5D **6**
Hoades Wood Rd. *Sturry*
—1E **35**
Hoath Rd. *Hoath* —1F **35**
Hobart Rd. *Ram* —6A **22**
Hockeredge Gdns. *Wgte S*
—5B **4**
Hode La. *Bri* —6C **38**
Hodges Gap. *Mgte* —2C **6**
Hodgson Rd. *Sea* —6A **8**
Hogarth Clo. *H Bay* —2A **14**
Holbrook Dri. *Ram* —6B **22**
Holiday Sq. *Mgte* —2G **5**
Holland Clo. *Broad* —3G **7**
Hollicondane Rd. *Ram* —1D **30**
Hollow La. *Cant* —4E **37**
Hollowmede. *Cant* —4E **37**
Holly Clo. *Broad* —4C **22**
Holly Gdns. *Mgte* —3C **6**
Holly La. *Mgte* —3C **6**
Holly Rd. *Ram* —1E **31**
Holman M. *Cant* —3G **37**
Holme Oak Clo. *Cant* —4F **37**
Holmestead Village. *Ram*
—4C **30**
Holm Oak Gdns. *Broad*
—3F **23**
Holmscroft Rd. *H Bay* —2H **13**
Holters La. *Cant* —6F **33**

Holton Clo. *Birch* —1E **19**
Holy Ghost All. S'wch —4C **40**
(off St Peter's St.)
Homefern Ho. Mgte —2H **5**
(off Cobbs Pl.)
Homefleet Ho. Ram —2F **31**
(off Wellington Cres.)
Homeleigh Rd. *Ram* —4B **22**
Homespire Ho. Cant —1G **37**
(off Knott's La.)
Homestall Ct. *Cant* —4C **32**
Homestead Clo. *Mgte* —4H **5**
Homewood Rd. *Sturry* —2E **35**
Homing Leisure Pk. *Sea*
—2C **24**
Honey Hill. *Whits* —6G **25**
Honeysuckle Clo. *Mgte* —5E **5**
Honeysuckle Rd. *Ram* —1F **31**
Honeysuckle Way. *H Bay*
—5H **13**
Honeywood Clo. *Cant* —6H **33**
Honfleur Rd. *S'wch* —5B **40**
Hoopers La. *H Bay* —5H **13**
Hopes La. *Ram* —4C **22**
Hopeville Av. *Broad* —1D **22**
Hop Garden Cotts. *Cant*
—4E **37**
Hornet Clo. *Pys R* —4D **22**
Horsa Rd. *Birch* —6B **2**
Horsebridge Rd. *Whits* —3F **9**
Horshams, The. *H Bay* —2H **13**
Hoser Gdns. *Birch* —6E **3**
Hospital La. *Cant* —2F **37**
Hovenden Clo. *Cant* —4G **33**
Howard Rd. *Broad* —4G **23**
Hoystings Clo., The. *Cant*
—3G **37**
Hubart Pl. *Sturry* —3D **34**
Hubert Way. *Broad* —1E **23**
Hudson Clo. *Sturry* —2D **34**
Hudson Rd. *Cant* —6H **33**
Hugin Av. *Broad* —6E **7**
Humber Av. *H Bay* —1F **11**
Hundreds Clo. *Wgte S* —6H **3**
Hunters Chase. *H Bay* —5G **13**
Hunters Chase. *Whits* —6G **9**
Hunters Forstal Rd. *H Bay*
—5F **13**
Hunting Ga. *Birch* —5D **2**
Hunton Gdns. *Cant* —4G **33**
Hurst Gro. *Ram* —6C **22**
Hythe Pl. *S'wch* —5B **40**

Iffin La. *Cant* —6E **37**
Ince Rd. *Sturry* —1D **34**
Ingle Clo. *Birch* —6F **3**
Ingoldsby Rd. *Birch* —6B **2**
Ingoldsby Rd. *Cant* —4D **36**
Inverary Ct. *Ram* —6E **23**
Inverness Ter. *Broad* —4G **23**
Invicta Ho. *Cant* —3F **37**
Invicta Ho. *Mgte* —4B **6**
Invicta Rd. *Mgte* —5B **6**
Invicta Rd. *Whits* —5H **9**
Irchester St. Ram —2F **31**
(off Balmoral Pl.)
Iron Bar La. *Cant* —2G **37**
Irvine Dri. *Mgte* —5C **6**
Island Rd. *Sturry* —3D **34**
Island Wall. *Whits* —4E **9**

Ivanhoe Rd. *H Bay* —4E **13**
Ivanhoe Rd. *Wgte S* —4A **4**
Ives Ga. *S'wch* —4C **40**
Ivychurch Gdns. *Clift* —3E **7**
Ivy Cottage Hill. *Ram* —2A **28**
Ivy Ct. *T Hill* —2E **33**
Ivy Ho. Rd. *Whits* —4H **9**
Ivy La. *Cant* —2G **37**
Ivy La. *Ram* —3D **30**
Ivy Pl. *Cant* —3E **37**

Jackson Rd. *Win I* —3E **37**
Jacob Clo. *Mgte* —6G **5**
Jaffa Ct. *Whits* —5F **9**
James Ct. *Mgte* —3B **6**
James St. *Ram* —3D **30**
Jane Grn. M. *Cant* —6H **33**
Jayne Wlk. *Whits* —1D **24**
Jennifer Gdns. *Mgte* —5C **6**
Jessica M. *Cant* —1H **37**
Jesuit Clo. *Cant* —4G **33**
Jewry La. *Cant* —2F **37**
John Graham Ct. *Cant* —4G **37**
John's Grn. *S'wch* —4A **40**
John St. *Broad* —3H **23**
John Wilson Bus. Pk. *Ches*
—4B **10**
Joseph Conrad Ho. *Cant*
—1D **36**
Joseph Wilson Ind. Est. &
Retail Pk. *Whits* —6H **9**
Joss Gap Rd. *Broad* —4H **7**
Joy La. *Whits* —6C **8**
Jubilee Cotts. *F'wch* —4D **34**
Jubilee Ct. Broad —3H **23**
(off Oscar Rd.)
Jubilee Rd. *S'wch* —5B **40**
Julie Clo. *Broad* —1G **23**
Junction Rd. *H Bay* —5A **12**
Juniper Clo. *Cant* —4G **37**
Juniper Clo. *Whits* —4H **9**

Keat Farm Clo. *H Bay* —2B **14**
Keith Av. *Ram* —1A **30**
Kemp All. Whits —4F **9**
(off Middle Wall)
Kemp Rd. *Whits* —3C **10**
Kemsing Gdns. *Cant* —4H **33**
Kendal Clo. *Ram* —3A **30**
Kendal Rise. *Broad* —2G **23**
Kennedy Ho. Ram —2F **31**
(off Newcastle Hill)
Kensington Rd. *Cant* —4A **34**
Kent Av. *Cant* —2A **38**
Kent Gdns. *Birch* —6D **3**
Kent International Bus. Pk.
Ram —5H **19**
Kentmere Av. *Ram* —2H **29**
Kenton Gdns. *Min* —3F **27**
Kent Pl. *Ram* —3F **31**
Kent Rd. *Mgte* —5B **6**
Kent St. *Whits* —5F **9**
Kent Ter. Ram —3F **31**
(off Harbour Pde.)
Kevin Dri. *Ram* —3B **30**
Keyworth M. *Cant* —6H **33**
Kilbride Ct. *Ram* —6F **23**
Kilndown Gdns. *Cant* —4G **33**
Kilndown Gdns. *Clift* —3E **7**

Kimberley Ct. *Wgte S* —4A **4**
(off Sea Rd.)
Kimberley Gro. *Sea* —1B **24**
Kimberley Rd. *Ram* —6A **22**
King Arthur Rd. *C'snd* —2F **29**
King Edward Av. *Broad*
—3G **23**
King Edward Av. *H Bay* —3F **13**
King Edward Ct. *H Bay* —3F **13**
King Edward Rd. *Birch*
—1D **18**
King Edward Rd. *Ram* —3C **30**
King Edward St. *Whits* —4F **9**
Kingfisher Clo. *Mgte* —6D **4**
Kingfisher Clo. *Whits* —6E **9**
Kingfisher Ct. *H Bay* —4B **12**
Kingfisher Wlk. *Broad* —2F **23**
Kings Av. *Birch* —5B **2**
King's Av. *Broad* —2H **23**
Kings Av. *Ram* —6B **22**
King's Av. *Whits* —4G **9**
King's Bri. *Cant* —2F **37**
Kingsfield Rd. *H Bay* —5F **13**
Kingsgate Av. *Broad* —4F **7**
Kingsgate Bay Rd. *Broad*
—3H **7**
Kingsley Rd. *Whits* —5G **9**
Kingsmead Rd. *Cant* —6G **33**
King's M. *Cant* —1G **37**
Kings Pk. *Cant* —1H **37**
King's Pl. Ram —3E **31**
(off Abbot's Hill)
Kings Rd. *Birch* —1E **19**
Kings Rd. *H Bay* —3D **12**
King's Rd. *Ram* —1D **30**
Kingston Av. *Mgte* —6D **4**
Kingston Clo. *H Bay* —2B **14**
Kingston Clo. *Ram* —5B **22**
King St. *Cant* —1F **37**
King St. *F'wch* —4E **35**
King St. *Mgte* —2G **5**
King St. *Ram* —3E **31**
King St. *S'wch* —4C **40**
Kirby's La. *Cant* —1F **37**
Kirkstone Av. *Ram* —2H **29**
Kite Farm. *Whits* —2D **10**
Knight Av. *Cant* —2C **36**
Knightrider St. *S'wch* —5C **40**
Knights All. Whits —3F **9**
(off Middle Wall)
Knight's Av. *Broad* —1H **23**
Knockholt Rd. *Clift* —2E **7**
Knold Pk. *Mgte* —5G **5**
Knott's La. *Cant* —1G **37**
Knowler Way. *H Bay* —2G **13**
Knowlton Wlk. *Cant* —1H **37**

La Belle Alliance Sq. *Ram*
—2E **31**
Laburnum Av. *S'wch* —5B **40**
Laburnum La. *Sturry* —1F **35**
Lackenden Cotts. *L'brne*
—4H **39**
Ladesfield. *Whits* —6E **9**
Ladyfields. *H Bay* —5H **13**
Ladysmith Gro. *Sea* —1B **24**
Ladysmith Rd. *Whits* —2D **24**
Ladywood Rd. *Sturry* —1D **34**
Lady Wootton's Grn. *Cant*
—2G **37**

Lagos Av. *Ram* —6A **22**
Laking Av. *Broad* —6G **7**
Laleham Gdns. *Mgte* —3B **6**
Laleham Rd. *Mgte* —4B **6**
Laleham Wlk. *Mgte* —4B **6**
Lamberhurst Way. *Clift* —2F **7**
Lambeth Rd. *Cant* —4A **34**
Lambourne Wlk. Cant —2A **38**
(off Sturmer Clo.)
Lambs Wlk. *Whits* —1E **25**
Laming Rd. *Birch* —1F **19**
Lancaster Gdns. *Birch* —1D **18**
Lancaster Gdns. *H Bay*
—2H **13**
Lancaster Rd. *Cant* —4F **37**
Lancester Clo. *Ram* —6B **22**
Lanchester Clo. *H Bay* —2G **11**
Landon Rd. *H Bay* —2G **13**
Lane End. *H Bay* —2B **13**
Lane's Wlk. *Whits* —3F **9**
Lanfranc Gdns. *Harb* —1C **36**
Lang Ct. *Whits* —2C **10**
Langdale Av. *Ram* —2A **30**
Langham Clo. *Mgte* —4D **4**
Langley Gdns. *Clift* —2E **7**
Langton La. *Cant* —6G **37**
Lansdown Cotts. *Cant* —3G **37**
Lansdown Rd. *Cant* —3G **37**
Lanthorne Rd. *Broad* —6G **7**
Larch Clo. *Broad* —3D **22**
Larches, The. *Whits* —5E **9**
Latimer Clo. *H Bay* —3H **11**
Laundry Rd. *Min* —3H **27**
Laureate Clo. *Mgte* —3B **6**
Lauriston Clo. *Ram* —4A **30**
Lauriston Mt. *Broad* —2G **23**
Lausanne Rd. *Mgte* —3H **5**
Lavender Clo. *Ches* —3C **10**
Lavender Clo. *Mgte* —5E **5**
Lawley Clo. *Ram* —6C **22**
Lawn Rd. *Broad* —2G **23**
Lawns, The. *Ram* —2F **31**
Lawn Vs. Ram —3E **31**
(off Guildford Lawn)
Lawrence Av. *Ram* —4B **30**
Lawrence Gdns. *H Bay*
—3G **13**
Laxton Way. *Cant* —3A **38**
Laxton Way. *Ches* —4C **10**
Laylam Clo. *Broad* —2D **22**
Leas Grn. *Broad* —3D **22**
Leas, The. *Ches* —4D **10**
Leatt Clo. *Broad* —3F **23**
Lees, The. *H Bay* —2G **13**
(in two parts)
Leggetts La. *Whits* —3F **9**
Leicester Av. *Clift* —3C **6**
Leigh Rd. *Ram* —6H **21**
Leighville Dri. *H Bay* —3B **12**
Length, The. *St N* —5F **17**
Lenham Clo. *Broad* —5G **23**
Lenham Gdns. *Mgte* —5D **4**
Leona St. *Mgte* —3B **6**
Leonards Av. *Ram* —6E **23**
Leopold Rd. *Ram* —1E **31**
Leopold St. *Ram* —3E **31**
Lerryn Gdns. *Broad* —5F **7**
Lesley Av. *Cant* —4G **37**
Leslie Av. *Mgte* —6D **4**
Leslie Rd. *Birch* —5E **3**
Lewis Cres. *Clift* —2B **6**

Leybourne Dri. *Mgte* —5D **4**
Leybourn Rd. *Broad* —5H **23**
Leycroft Clo. *Cant* —5E **33**
Lichfield Av. *Cant* —4H **37**
Lillian Rd. *Ram* —1F **31**
Lime Kiln Rd. *Cant* —3F **37**
(in two parts)
Lincoln Av. *Cant* —3H **37**
Lincoln Clo. *Whits* —2D **10**
Lincoln Gdns. *Birch* —6D **2**
Linden Av. *Broad* —2H **23**
Linden Av. *H Bay* —3C **12**
Linden Av. *Whits* —4H **9**
Linden Chase. *Cant* —1E **37**
Linden Clo. *Wgte S* —6A **4**
Linden Gro. *Cant* —1E **37**
Linden Rd. *Wgte S* —5B **4**
Lindenthorpe Rd. *Broad*
—1F **23**
Linington Rd. *Birch* —1E **19**
Link La. *Cant* —2G **37**
Link Rd. *Broad* —5F **7**
Link Rd. *T Hill* —2E **33**
Links Clo. *H Bay* —4E **13**
Linksfield Rd. *Wgte S* —6H **3**
Linley Ho. *Broad* —6E **7**
Linnet Av. *Whits* —1D **24**
Lionard Ho. *Cant* —1E **37**
Lisa Ct. *Whits* —3A **10**
Lismore Rd. *H Bay* —2H **13**
Lismore Rd. *Whits* —5B **10**
Lister Rd. *Mgte* —5A **6**
Littlebourne Rd. *Bek* —5G **39**
Littlebourne Rd. *Cant* —2A **38**
Lit. Charles St. *H Bay* —2D **12**
Lit. Paddocks. *Ches* —6D **10**
Liverpool Lawn. *Ram* —3E **31**
Livingstone Rd. *Broad* —1E **23**
Lloyd Rd. *Broad* —3G **23**
Lombard St. *Mgte* —3G **5**
London Rd. *Cant* —1D **36**
London Rd. *Ram* —3B **30**
London Rd. *Up Harb* —1A **36**
Longacre *Ches* —4D **10**
Long Acre Clo. *Cant* —6E **33**
Longfield Clo. *Whits* —3D **10**
Longmarket, The. *Cant*
—2G **37**
Longmead Clo. *H Bay* —4A **12**
Long Meadow Way. *Cant*
—4F **33**
Longport. *Cant* —2G **37**
(in two parts)
Long Reach Clo. *Whits*
—1E **25**
Long Rock. *Whits* —2D **10**
Longtye Dri. *Ches* —5C **10**
Lonsdale Av. *Mgte* —2B **6**
Lonsdale Dri. *H Bay* —1H **11**
Loop Clo. M. *S'wch* —4B **40**
Loop St. *S'wch* —4B **40**
Lorina Rd. *Ram* —1C **30**
Lorne Rd. *Ram* —3C **30**
Loughborough Ct. *Ram*
—2E **31**
Love La. *Cant* —2G **37**
Love La. *Mgte* —2G **5**
Love La. *S'wch* —4C **40**
(off Stand St.)
Lovell Rd. *R Comn* —5B **32**
Love St. Clo. *H Bay* —5A **12**

Lwr. Bridge St. *Cant* —2G **37**
Lwr. Chantry La. *Cant* —2G **37**
Lwr. Herne Rd. *H Bay* —6C **12**
Lwr. Northdown Av. *Mgte*
—3B **6**
Lucerne Ct. *Sea* —1B **24**
Lucerne Dri. *Sea* —1B **24**
Luckhurst Gdns. *Clift* —2E **7**
Lullingstone Ct. *Cant* —2F **37**
(off St John's La.)
Luton Av. *Broad* —4F **23**
Luton Ct. *Broad* —4F **23**
Lyell Ct. *Birch* —6D **2**
(off Lyell Rd.)
Lyell Rd. *Birch* —5D **2**
Lyminge Way. *Mgte* —4C **6**
Lymington Rd. *Wgte S* —6H **3**
Lyndhurst Av. *Mgte* —3B **6**
Lyndhurst Clo. *Cant* —5E **33**
Lyndhurst Rd. *Broad* —1G **23**
Lyndhurst Rd. *Ram* —2F **31**
Lyngate Ct. *Clift* —3D **6**
Lypeat Ct. *Cant* —4C **32**
Lysander Clo. *Bek* —6H **39**
Lysander Clo. *Pys R* —4C **22**
Lytham Av. *H Bay* —6B **12**

McCarthy Av. *Sturry* —1D **34**
Macdonald Pde. *Sea* —1C **24**
McKinlay Ct. *Birch* —5B **2**
(off Parade, The)
Madeira Rd. *Mgte* —3A **6**
Madeira Wlk. *Ram* —3E **31**
Magdala Rd. *Broad* —1E **23**
Magdalen Ct. *Broad* —1G **23**
Magdalen Ct. *Cant* —3G **37**
Magnolia Av. *Clift* —3D **6**
Magnolia Rise. *H Bay* —5H **13**
Maiden La. *Cant* —4D **36**
Mallory Clo. *Ram* —5C **22**
Malthouse Rd. *Cant* —6F **33**
Maltings, The. *Cant* —2G **37**
(off Longport)
Malvern Pk. *H Bay* —3H **13**
Manciple Clo. *Cant* —3C **36**
Mandeville Rd. *Cant* —6E **33**
Mannock Ho. *Cant* —1H **37**
Manor Clo. *Cant* —5C **36**
Manor Clo. *H Bay* —1B **14**
Manor Ct. *Cant* —3F **37**
Manor Dri. *Birch* —1D **18**
Manor Lea Rd. *St N* —6F **17**
Manor Rd. *Broad* —3F **23**
Manor Rd. *H Bay* —1B **14**
Manor Rd. *St N* —5F **17**
Manor Rd. *Whits* —2A **10**
Mansion St. *Mgte* —2G **5**
Manston Camping & Cvn. Pk.
Mans —5E **21**
Manston Ct. Rd. *Mans* —6E **21**
Manston Rd. *Birch* —3F **19**
Manston Rd. *Mans* —5C **20**
Mantelow Ct. *Broad* —5F **23**
Manwood Av. *Cant* —5F **33**
Manwood Rd. *S'wch* —5C **40**
Maple Clo. *R Comn* —5B **32**
Maple Ho. *R Comn* —5B **32**
Maples, The. *Broad* —3D **22**
Maple Ter. *Cant* —2F **37**
Marden Av. *Ram* —1B **30**

Margaret Ct. *H Bay* —3D **12**
Margate Hill. *Acol* —4F **19**
Margate Rd. *Broom* —4F **13**
Margate Rd. *H Bay* —5G **13**
Margate Rd. *Mgte* —2A **22**
Marilyn Cres. *Birch* —6F **3**
Marina Esplanade. *Ram*
—3F **31**
Marina Rd. *Ram* —2F **31**
Marine Cres. *Whits* —2B **10**
Marine Dri. *Broad* —2G **7**
Marine Dri. *Mgte* —3G **5**
Marine Gap. *Whits* —4E **9**
Marine Gdns. *Mgte* —3G **5**
Marine Pde. *Whits* —2H **9**
Marine Ter. *Mgte* —3F **5**
Marine Ter. *Whits* —4E **9**
Maritime Av. *H Bay* —3G **13**
Mark Av. *Ram* —4B **30**
Market Pl. *Mgte* —2G **5**
(off Market St.)
Market St. *H Bay* —2D **12**
Market St. *Mgte* —2G **5**
Market St. *S'wch* —4B **40**
(in two parts)
Market Way. *Cant* —6G **33**
Marlborough Clo. *Broad*
—4E **23**
Marlborough Rd. *Mgte* —4G **5**
Marlborough Rd. *Ram* —3D **30**
Marlborough St. *Whits* —2F **25**
Marley Ct. *Cant* —4C **32**
Marlow Clo. *Whits* —4B **10**
Marlowe Arc. *Cant* —2F **37**
Marlowe Av. *Cant* —2F **37**
Marlowe Ct. *Cant* —1F **37**
(off King St.)
Marlowe Meadows. *F'wch*
—4D **34**
Marlowe Rd. *Mgte* —5C **6**
Marlow Ho. *Birch* —6F **3**
(off Sutherland Dri.)
Marrose Av. *Ram* —4B **22**
Marshall Cres. *Broad* —3E **23**
Marsham M. *Cant* —1H **37**
(off Clement Clo.)
Marsh Farm Rd. *Min* —6F **27**
Marshwood Clo. *Cant* —5A **34**
Martindale Clo. *Cant* —3G **37**
Martindown Rd. *Whits* —1E **25**
Martin's Clo. *Ram* —5C **22**
Martyr's Field Rd. *Cant*
—3E **37**
Mary Grn. Wlk. *Cant* —6H **33**
Maryland Gro. *Cant* —4H **37**
Masons Rise. *Broad* —2G **23**
Matthews Rd. *H Bay* —5A **12**
Maugham Ct. *Whits* —5F **9**
Maxine Gdns. *Broad* —2F **23**
Maxted Ct. *H Bay* —3G **13**
Maybrook Ind. Est. *Cant*
—5A **34**
Maydowns Rd. *Ches* —3D **10**
Mayfield Rd. *H Bay* —4E **13**
Mayforth Gdns. *Ram* —3B **30**
Maynard Av. *Mgte* —5D **4**
Maynard & Cotton's Spital.
Cant —2F **37**
(off Hospital La.)
Maynard Rd. *Win I* —3D **36**
May's Rd. *Ram* —3C **30**

Maystreet. *H Bay* —3B **14**
(in two parts)
Mayville Rd. *Broad* —1E **23**
Meadow Clo. *H Bay* —3G **13**
Meadow Dri. *Ches* —5D **10**
Meadow Rd. *Cant* —6C **32**
Meadow Rd. *Mgte* —4D **4**
Meadow Rd. *Sturry* —2D **34**
Meadows, The. *H Bay* —5G **13**
Meadow Wlk. *Whits* —6E **9**
Mead Way. *Cant* —1E **37**
Medina Av. *Whits* —6D **8**
Meeting St. *Ram* —2E **31**
Melbourne Av. *Ram* —1A **30**
Mellanby Rd. *Birch* —1E **19**
Melsetter Clo. *Birch* —6F **3**
Memel Pl. *Ram* —3D **30**
Mentmore Ho. *Ram* —4C **22**
Mentmore Rd. *Ram* —4C **22**
Mercery La. *Cant* —2F **37**
Merchants Way. *Cant* —3C **36**
Mere Ga. *Mgte* —4G **5**
Merrywood Gro. *H Bay*
—5H **13**
Merton Cotts. *Cant* —5G **37**
Merton La. *Cant* —6E **37**
Metcalfe M. *Cant* —6H **33**
Meteor Av. *Whits* —6D **8**
Meverall Av. *C'snd* —4F **29**
Michael Av. *Ram* —1G **31**
Michelle Gdns. *Mgte* —5C **4**
Mickleburgh Av. *H Bay* —4F **13**
Mickleburgh Hill. *H Bay*
—3E **13**
Middle Wall. *Whits* —3F **9**
Miles Way. *Birch* —6D **2**
Military Rd. *Cant* —1G **37**
Military Rd. *Ram* —3E **31**
Mill Clo. *S'wch* —3A **40**
Mill Cotts. *Ram* —3C **30**
Miller Av. *Cant* —2D **36**
Millers Ct. *Whits* —6F **9**
Millers La. *Monk* —2A **26**
Mill Field. *Broad* —2F **23**
Millfield Mnr. *Whits* —4G **9**
Millfield Rd. *Ram* —4B **22**
Millhouse Dri. *Ram* —2G **27**
Mill La. *Birch* —1D **18**
Mill La. *Cant* —1F **37**
Mill La. *Harb* —2C **36**
Mill La. *H Bay* —6F **13**
Mill La. *Mgte* —3G **5**
Mill La. N. *H Bay* —4F **13**
Millmead Av. *Mgte* —4D **6**
Millmead Gdns. *Mgte* —4D **6**
Millmead Rd. *Mgte* —4B **6**
Mill Rd. *Sturry* —4C **34**
Mill Row. *Birch* —1D **18**
Millstream Clo. *Whits* —4G **9**
Millstrood Rd. *Whits* —5G **9**
Mill View Rd. *H Bay* —6E **13**
Mill Wall. *S'wch* —5C **40**
Mill Wall Pl. *S'wch* —5C **40**
Milner Ct. *Sturry* —3D **34**
Milner La. *Sturry* —3D **34**
Milner Rd. *Sea* —1C **24**
Milton Av. *Mgte* —4H **5**
Milton Clo. *Cant* —4A **38**
Milton Rd. *Cant* —4G **37**
Milton Sq. *Mgte* —4H **5**
(off Shakespeare Rd.)

Minerva Ho. *Ram* —2D **30**
(off High St. Ramsgate.)
Minnis Rd. *Birch* —5B **2**
Minster Clo. *Broad* —5G **23**
Minster Dri. *H Bay* —3B **12**
Minster Rd. *Acol* —5F **19**
Minster Rd. *Ram* —4B **30**
Minster Rd. *Wgte S* —5A **4**
Mint, The. *Harb* —1C **36**
Moat La. *F'wch* —5D **34**
Moat La. *R Comn* —4B **32**
Moat Sole. *S'wch* —4B **40**
Mockett Dri. *Broad* —6F **7**
Molehill Rd. *Ches* —6D **10**
Molineux Rd. *Min* —3F **27**
Molland Rd. *Cant* —4G **37**
Monastery St. *Cant* —2G **37**
Monks Clo. *Cant* —6G **33**
Monkton Gdns. *Clift* —2E **7**
Monkton Mnr. *Ram* —2A **26**
Monkton Pl. *Ram* —2D **30**
Monkton Rd. *Min* —3C **26**
Monkton St. *Monk* —2A **26**
Montague Rd. *Ram* —1E **31**
Montague St. *H Bay* —2C **12**
Montefiore Av. *Ram* —6F **23**
Montefiore Cotts. *Ram*
—1F **31**
Montfort Clo. *Cant* —4G **33**
Montpelier Av. *Whits* —2F **25**
Moorfield. *Cant* —4F **33**
Moorside Ct. *Cant* —1D **36**
Moray Av. *Birch* —5D **2**
Mordaunt Av. *Wgte S* —5A **4**
Morris Av. *H Bay* —1F **11**
Mortimer St. *H Bay* —2D **12**
Moss End M. *Ram* —5E **23**
Mountfield Way. *Wgte S*
—1H **19**
Mt. Green Av. *C'snd* —4F **29**
Mt. Pleasant. *Blean* —2A **32**
Mount Rd. *Cant* —4A **38**
Mt. View Rd. *H Bay* —5E **13**
Moyes Clo. *C'snd* —4F **29**
Muir Rd. *Ram* —1F **31**
Mulberry La. *Ram* —1F **31**
Mulberry Ct. *Cant* —2F **37**
Mulberry Fld. *S'wch* —4B **40**
Musgrave Clo. *Mans* —5B **39**
Mutrix Gdns. *Mgte* —4C **4**
Mutrix Rd. *Mgte* —5D **4**
Mymms Clo. *Ches* —5C **10**

Nacholt Clo. *Whits* —3A **10**
Nackington Ct. *Cant* —4H **37**
Nackington Rd. *Cant* —6G **37**
Napier Rd. *Broad* —1E **23**
Napleton Ct. *Ram* —3C **30**
Napleton Rd. *Ram* —3C **30**
Nash Ct. Gdns. *Mgte* —5G **5**
Nash Ct. Rd. *Mgte* —5H **5**
Nash Gdns. *Broad* —3A **23**
Nash La. *Mgte* —6H **5**
Nash Rd. *Mgte* —5G **5**
Nasmyth Rd. *Birch* —5E **3**
Naylands. *Mgte* —4F **5**
Neal's Pl. Rd. *Cant* —6C **32**
Neame Rd. *Birch* —6E **3**
Nelson Ct. *Birch* —5C **2**
Nelson Cres. *Ram* —3E **31**

Nelson Pl. *Broad* —2H **23**
Nelson Rd. *Mgte* —2F **21**
Nelson Rd. *Whits* —4E **9**
Ness, The. *Cant* —5H **37**
Nethercourt Circ. *Ram* —3B **30**
Nethercourt Farm Rd. *Ram*
—2B **30**
Nethercourt Hill. *Ram* —3B **30**
Netherhale Farm Rd. *St N*
—3H **17**
Nethersole Clo. *Cant* —4G **33**
Newbury Clo. *Birch* —1F **19**
Newbys Pl. *Mgte* —3G **5**
Newcastle Hill. *Ram* —2E **31**
Newce Wlk. *Cant* —6H **33**
New Cotts. *S'wch* —4B **40**
New Cross St. *Mgte* —3G **5**
New Dover Rd. *Cant* —3G **37**
Newgate Gap. *Mgte* —2A **6**
(off Percy Rd.)
Newgate Lwr. Promenade.
Mgte —2A **6**
Newgate Promenade. *Mgte*
—2A **6**
New Ho. Clo. *Cant* —6E **37**
New Ho. La. *Cant* —6D **36**
Newington Rd. *Ram* —6B **22**
Newlands Ho. *Ram* —5E **23**
Newlands La. *Broad* —4D **22**
Newlands Rd. *Ram* —6D **22**
Newport Ct. *Cant* —4H **37**
New Rd. *Cant* —4A **32**
New Romney Pl. *S'wch*
—5B **40**
New Ruttington La. *Cant*
—1G **37**
New St. *H Bay* —2D **12**
New St. *Mgte* —3G **5**
New St. *S'wch* —4C **40**
New St. *St D* —1E **37**
New St. *Whits* —3F **9**
New St. *Win* —5F **9**
Newton Rd. *Whits* —3B **10**
New Town St. *Cant* —6G **33**
Nicholas Dri. *C'snd* —4F **29**
Nicholls Av. *Broad* —5F **23**
Nightingale Av. *Whits* —1D **24**
Nixon Av. *Ram* —5C **22**
Noble Ct. *Mgte* —5C **4**
Noble Gdns. *Mgte* —5C **4**
No Name St. *S'wch* —4B **40**
Nonsuch Clo. *Cant* —2A **38**
Nook, The. *Ram* —4C **22**
Norfolk Rd. *Cant* —4E **37**
Norfolk Rd. *Flete* —2F **21**
Norfolk Rd. *Mgte* —3B **5**
Norfolk St. *Whits* —5F **9**
Norman Rd. *Broad* —1E **23**
Norman Rd. *Cant* —3F **37**
Norman Rd. *Ram* —3B **30**
Norman Rd. *Wgte S* —4B **4**
Norman Rd. *Whits* —5F **9**
Norrie Rd. *Birch* —1E **19**
North Av. *Ram* —3D **30**
Northbourne Way. *Clift* —4E **7**
Northcliffe Gdns. *Broad*
—6G **7**
Northdown Av. *Mgte* —3B **6**
Northdown Hill. *Broad* —5D **6**
Northdown Ind. Pk. *Broad*
—1E **23**

Northdown Pk. Rd. *Mgte*
—3B **6**
Northdown Rd. *Mgte* —2H **5**
Northdown Rd. *St Pet* —1E **23**
Northdown Trad. Est. *Broad*
—6D **6**
Northdown Way. *Mgte* —4C **6**
(in two parts)
N. Foreland Av. *Broad* —6H **7**
N. Foreland Rd. *Broad* —6H **7**
Northgate. *Cant* —1G **37**
N. Holmes Rd. *Cant* —1G **37**
North La. *Cant* —1F **37**
North Stream. *Cant* —4E **15**
North St. *H Bay* —2E **13**
Northumberland Av. *Mgte*
—4C **6**
Northumberland Ct. *Clift*
—2C **6**
Northwood Ho. *H Bay* —6B **12**
Northwood Rd. *Ram* —4C **22**
Northwood Rd. *Whits* —3G **9**
Norton Dri. *Min* —3F **27**
Norview Rd. *Whits* —6D **8**
Notley St. *Cant* —1G **37**
Notley Ter. *Cant* —1G **37**
(off Notley St.)
Nottingham Rd. *Birch* —2D **18**
Nunnery Fields. *Cant* —4G **37**
Nunnery Rd. *Cant* —3F **37**
Nursery Clo. *Ram* —2C **30**
Nursery Clo. *Whits* —4A **10**
Nursery Fields. *Acol* —4F **19**
Nursery Ind. Est. *H Bay*
—4A **12**
Nurserylands. *H Bay* —4D **12**
Nursery Wlk. *Cant* —6E **33**

Oakdale Rd. *H Bay* —3E **13**
Oakdene Rd. *Ram* —6C **22**
Oakfield Ct. *Ram* —1B **30**
Oakland Ct. *H Bay* —2C **12**
Oaklands Av. *Broad* —2E **23**
Oaklands Way. *Sturry* —1F **35**
Oakleigh La. *Bek* —5F **39**
Oakridge. *Broad* —4G **7**
Oaks Av. *H Bay* —5B **12**
Oaks Pk. *R Comn* —5B **32**
Oaks, The. *Broad* —6F **7**
Oaks, The. *St N* —5F **17**
Oak Tree Gro. *Mgte* —5C **4**
Oakwood Dri. *Whits* —4A **10**
Oakwood Rd. *Sturry* —1E **35**
Oast Cotts. *Cant* —3E **37**
Oast Ct. *Mgte* —5H **5**
Oast, The. *Cant* —4H **37**
Oaten Hill. *Cant* —3G **37**
Oaten Hill Pl. *Cant* —3G **37**
Ocean Clo. *Birch* —5F **3**
Ocean View. *Broad* —6G **23**
Ocean View. *H Bay* —1A **14**
Offley Clo. *Mgte* —4C **6**
Ogilvy Ct. *Broad* —6E **7**
Olantigh Ct. *Birch* —6E **3**
Olave Rd. *Mgte* —4A **6**
Old Boundary Rd. *Wgte S*
—4B **4**
Old Bri. Rd. *Whits* —4G **9**
Old Crossing Rd. *Mgte* —4D **4**
Old Dairy Clo. *Ram* —2F **31**

Old Dover Rd. *Cant* —3G **37**
Old Farm Clo. *Whits* —1E **25**
Old Farm Rd. *Birch* —6B **2**
Old Fold. *Ches* —5C **10**
Old Grn. Rd. *Broad* —6F **7**
Old Grn. Rd. *Mgte* —4C **6**
Old Hall Dri. *C'snd* —4E **29**
Oldhawe Hill. *H Bay* —6G **13**
Old Kingsdown Clo. *Broad*
—4E **23**
Old Pal. Rd. *Pat* —6G **39**
Old Pk. Av. *Cant* —6A **34**
Old Pk. Ct. *Cant* —6A **34**
Oldroyd Ho. *Cant* —1D **36**
Old Ruttington La. *Cant*
—1G **37**
Old School Gdns. *Mgte* —4A **6**
Olive Gro. *Ram* —1F **31**
Omer Av. *Clift* —3C **6**
Orange St. *Cant* —2F **37**
Orchard Clo. *Cant* —4F **33**
Orchard Clo. *Min* —2F **27**
Orchard Clo. *Ram* —4B **22**
Orchard Clo. *Whits* —2H **9**
Orchard Ct. *H Bay* —6D **12**
Orchard Flats. *Cant* —3B **38**
Orchard Gdns. *Mgte* —4C **4**
Orchard La. *St N* —6F **17**
Orchard Pk. Homes. *H Bay*
—3H **13**
Orchard Rd. *H Bay* —4D **12**
Orchard Rd. *Mgte* —5C **4**
Orchard Row. *H Bay* —6E **13**
Orchard St. *Cant* —1E **37**
Orchard Vs. *Sturry* —3D **34**
Orient Pl. *Cant* —1F **37**
Osborne Gdns. *H Bay* —2H **13**
Osborne Rd. *Broad* —3F **23**
Osborne Ter. *Mgte* —4H **5**
Osbourn Av. *Wgte S* —5A **4**
Oscar Rd. *Broad* —3H **23**
Osprey Clo. *Whits* —6E **9**
Otham Clo. *Cant* —4G **33**
Owl's Hatch Rd. *H Bay*
—6B **12**
Oxenden Pk. Dri. *H Bay*
—3C **12**
Oxenden St. *H Bay* —2C **12**
Oxford Clo. *Whits* —4F **9**
Oxford Ct. *Cant* —3F **37**
Oxford Rd. *Cant* —4F **37**
Oxford St. *Mgte* —4H **5**
Oxford St. *Whits* —4F **9**
Oxney Clo. *Birch* —6D **2**
Oyster Clo. *H Bay* —2H **11**
Oysters, The. *Whits* —2G **9**

Packers La. *Ram* —2E **31**
Paddock Rd. *Birch* —6E **3**
Paddocks, The. *Broad* —6F **7**
Paddocks, The. *H Bay* —2A **14**
Paddock, The. *Cant* —1H **37**
Paddock View *Whits* —6F **9**
Paffard Clo. *Sturry* —1D **34**
Palace Clo. *Whits* —3B **10**
Palace St. *Cant* —1F **37**
Palmars Cross Hill. *R Comn*
—1A **36**
Palm Bay Av. *Mgte* —2C **6**
Palm Bay Gdns. *Clift* —2C **6**

Palm Ct. *Wgte S* —4A **4**
(off Rowena Rd.)
Palmer Clo. *H Bay* —6F **13**
Palmer Cres. *Mgte* —5C **6**
Palmerston Av. *Broad* —4H **23**
Parade, The. *Birch* —6B **2**
Parade, The. *Broad* —3H **23**
Parade, The. *Cant* —2F **37**
Parade, The. *Mgte* —2G **5**
Paradise. *Ram* —2D **30**
Paradise Row. *S'wch* —4B **40**
Paragon. *Ram* —4D **30**
Paragon Ct. *Mgte* —2H **5**
(off Fort Paragon)
Paragon Promenade. *Ram*
—4D **30**
Paragon St. *Ram* —4D **30**
Pardoner Clo. *Cant* —3C **36**
Parham Clo. *Cant* —6H **33**
Parham Rd. *Cant* —6H **33**
Park Av. *Birch* —1D **18**
Park Av. *Broad* —5E **23**
Park Av. *Whits* —2G **9**
Park Chase. *Broad* —5E **23**
Park Clo. *Mgte* —4D **6**
Park Cotts. *Ram* —5E **23**
Park Ct. *Sturry* —2D **34**
Park Cres. Rd. *Mgte* —3A **6**
Pk. Farm Bungalows. *T Hill*
—2E **33**
Park Farm Clo. *T Hill* —2E **33**
Park Ga. *Broad* —5F **23**
Parkland Ct. *Broad* —1F **23**
Park La. *Birch* —1E **19**
Park La. *Mgte* —3H **5**
Park Pl. *Mgte* —3G **5**
Park Rd. *Birch* —1F **19**
Park Rd. *Broad* —1H **23**
Park Rd. *H Bay* —3D **12**
Park Rd. *Mgte* —3A **6**
Park Rd. *Ram* —2D **30**
Park View. *Sturry* —2D **34**
Parkway, The. *Birch* —6F **3**
Parkwood Clo. *Broad* —5E **23**
Park Wood Rd. *Cant* —4C **32**
Parsonage Fields. *Monk*
—2A **26**
Parsonage Rd. *H Bay* —4E **13**
Passage, The. *Mgte* —2H **5**
(off Zion Pl.)
Pathway, The. *Broad* —2H **23**
Patricia Way. *Pys R* —4C **22**
Payton Clo. *Mgte* —1A **22**
Payton M. *Cant* —1H **37**
Pean Ct. Rd. *Whits* —4F **25**
Pean Hill. *Whits* —4F **25**
Pearmain Wlk. *Cant* —3A **38**
(off Fiesta Way)
Pearsons Cotts. *Whits* —3F **9**
Pearson's Way. *Broad* —6E **7**
Pear Tree Clo. *Broad* —3C **22**
Peartree Rd. *H Bay* —5F **13**
Pegwell Av. *Ram* —4A **30**
Pegwell Bay Cvn. Pk. *Ram*
—4A **30**
Pegwell Clo. *Ram* —4A **30**
Pegwell Ct. *Ram* —4B **30**
Pegwell Rd. *Ram* —4A **30**
Pembroke Av. *Mgte* —4D **4**
Pembroke Ct. *Ram* —2E **31**
(off Hardres St.)

Pennington Clo. *W'bre*
—1G **35**
Penshurst Clo. *Cant* —5G **33**
Penshurst Gdns. *Clift* —3F **7**
Penshurst Rd. *Ram* —2F **31**
Percy Av. *Broad* —4F **7**
Percy Rd. *Broad* —2F **23**
Percy Rd. *Clift* —2A **6**
Percy Rd. *Ram* —1D **30**
Peri Ct. *Cant* —4E **37**
Perkins Av. *Mgte* —5H **5**
Petchell M. *Cant* —6H **33**
(off Teddington Clo.)
Pettman Clo. *H Bay* —4D **12**
Pettmans M. *Whits* —4E **9**
Petts Cres. *Min* —4F **27**
Philip Corby Clo. *Clift* —3B **6**
Phillips Rd. *Birch* —1E **19**
Picton Rd. *Ram* —3C **30**
Pier App. *Broad* —3H **23**
Pier Av. *H Bay* —2C **12**
Pier Av. *Whits* —2A **10**
Pier Chine. *H Bay* —3C **12**
Pierpoint Rd. *Whits* —6F **9**
Pierremont Av. *Broad* —3G **23**
Pigeon La. *H Bay* —5E **13**
Pilckem Clo. *Cant* —1B **38**
Pilgrims La. *Sea* —2D **24**
Pilgrims Way. *Cant* —3H **37**
(in three parts)
Pine, The. *Broad* —3D **22**
Pine Tree Av. *Cant* —6E **33**
Pinetree Clo. *Whits* —2H **9**
Pine Wlk. *H Bay* —2A **14**
Pinewood Clo. *Ram* —6C **22**
Pin Hill. *Cant* —3F **37**
Pintail Way. *H Bay* —5G **13**
Plains of Waterloo. *Ram*
—2E **31**
Plantation Rd. *Ches* —3D **10**
Playing Fields. *S'wch* —6A **40**
(off Poulders Gdns.)
Plenty Brook Rd. *H Bay*
—4D **12**
Pleydell Cres. *Sturry* —1D **34**
Plough Ct. *H Bay* —5H **13**
Plough La. *Whits* —2D **10**
Pluckley Gdns. *Clift* —3E **7**
Plumpton Wlk. *Cant* —1H **37**
Plumpudding La. *Dar* —6A **24**
Plumstone Rd. *Monk* —6C **18**
Plumtree Gdns. *Birch* —6D **2**
Poets' Corner. *Mgte* —4H **5**
Poldark Ct. *Ram* —2F **31**
(off Victoria Pde.)
Polo Way. *Ches* —4D **10**
Pond Cotts. *H Bay* —5H **13**
Pondicherry All. *S'wch* —4C **40**
(off Up. Strand St.)
Poorhole La. *Broad* —2B **22**
Popes La. *Sturry* —1C **34**
Poplar Dri. *H Bay* —5A **12**
Poplar Rd. *Broad* —1E **23**
Poplar Rd. *Ram* —2D **30**
Portland Ct. *Ram* —2E **31**
Portway. *Whits* —5E **9**
Potten St. *St N* —3D **16**
Potten St. Rd. *St N* —3D **16**
Potter St. *S'wch* —4C **40**
Poulders Gdns. *S'wch* —6A **40**
(in two parts)

Poulders Rd. *S'wch* —5A **40**
Pound La. *Cant* —1F **37**
Powell Cotton Dri. *Birch*
—1F **19**
Precincts, The. *Cant* —1G **37**
Prestedge Av. *Ram* —5E **23**
Preston Pde. *Sea* —6A **8**
Preston Rd. *Mans* —4F **21**
Pretoria Rd. *Cant* —2H **37**
Price's Av. *Mgte* —3A **6**
Price's Av. *Ram* —5H **5**
Priest Av. *Cant* —2C **36**
Priest Fields. *H Bay* —2B **14**
Priest Wlk. *Whits* —2C **10**
Primrose Cotts. Cvn. Pk. *Whits*
—6H **9**
Primrose Way. *Ches* —4C **10**
Primrose Way. *C'snd* —4E **29**
Prince Andrew Rd. *Broad*
—6E **7**
Prince Charles Rd. *Broad*
—6E **7**
Prince Edward's Promenade.
Ram —4B **30**
Prince's Av. *Ram* —6B **22**
Princes Clo. *Birch* —6B **2**
Princes Cres. *Mgte* —3H **5**
Prince's Gdns. *Mgte* —3C **6**
Prince's Rd. *Mgte* —1D **30**
Princess Anne Rd. *Broad*
—6E **7**
Princess Clo. *Whits* —2C **10**
Princess Margaret Av. *Clift*
—3D **6**
Princess Margaret Av. *Ram*
—6A **22**
Princess Rd. *Whits* —2C **10**
Princes St. *Mgte* —3H **5**
Prince's St. *Ram* —3E **31**
Prince's Wlk. *Clift* —2E **7**
Princes Way. *Cant* —1D **36**
Prioress Rd. *Cant* —2D **36**
Priory Clo. *Broad* —4F **23**
Priory La. *H Bay* —4E **13**
Priory of St Jacob. *Cant*
—4E **37**
Priory Rd. *Ram* —3D **30**
Promenade. *Birch* —5D **2**
Promenade. *Mgte* —2G **5**
Promenade. *Whits* —2H **9**
(in three parts)
Promenade, The. *Broad*
—4H **23**
Promenade, The. *Mgte* —2A **6**
Prospect Clo. *Wgte S* —6A **4**
Prospect Gdns. *Min* —2F **27**
Prospect Hill. *H Bay* —2E **13**
Prospect Pl. *Broad* —3H **23**
Prospect Pl. *Cant* —3G **37**
Prospect Pl. *St N* —6E **17**
Prospect Rd. *Birch* —6D **2**
Prospect Rd. *Broad* —3H **23**
Prospect Rd. *Min* —3F **27**
Prospect Ter. *Ram* —3E **31**
Prospect, The. *Broad* —3H **23**
(off Parade, The)
Providence Row. *Cant* —4E **37**
Puckle La. *Cant* —4G **37**
Pullman Clo. *Ram* —6C **22**
Pump La. *Mgte* —3H **5**
Purchas Ct. *Cant* —4C **32**

Pye All. La. *Whits* —4D **24**
Pyott M. *Cant* —1H **37**
Pyson's Rd. *Ram* —5C **22**
Pyson's Rd. Ind. Est. *Broad*
—4D **22**

Quantock Gdns. *Ram* —4B **22**
Quay La. *S'wch* —4C **40**
Quay, The. *S'wch* —4C **40**
Queen Bertha Rd. *Ram*
—3C **30**
Queen Bertha's Av. *Birch*
—5G **3**
Queen Elizabeth Av. *Mgte*
—4D **6**
Queens Arms Yd. *Mgte* —2G **5**
(off Market St.)
Queen's Av. *Birch* —6B **2**
Queen's Av. *Broad* —1H **23**
Queens Av. *Cant* —1D **36**
Queens Av. *H Bay* —2H **13**
Queen's Av. *Mgte* —4G **5**
Queen's Av. *Ram* —1B **30**
Queensbridge Dri. *H Bay*
—2A **12**
Queen's Ct. *H Bay* —3E **13**
Queens Ct. *Mgte* —2A **6**
Queensdown Rd. *Wdchu*
—3B **20**
Queen's Gdns. *Broad* —4H **23**
Queens Gdns. *H Bay* —2D **12**
Queen's Gdns. *Mgte* —2A **6**
Queen's Ga. Rd. *Ram* —2C **30**
Queen's Pde. *Clift* —2A **6**
Queen's Rd. *Broad* —3G **23**
Queen's Rd. *Ram* —2F **31**
Queens Rd. *Wgte S* —5B **4**
Queens Rd. *Whits* —3H **9**
Queen St. *H Bay* —2D **12**
Queen St. *Mgte* —3G **5**
Queen St. *Ram* —2F **31**
Queens View. *Sea* —6B **8**
Querns Pl. *Cant* —2H **37**
Querns Rd. *Cant* —2A **38**
Quetta Rd. *Ram* —6H **21**
Quex Ct. *Birch* —1F **19**
(off Powell Cotton Dri.)
Quex Rd. *Wgte S* —5B **4**
Quex View Rd. *Birch* —1D **18**

Radley Clo. *Broad* —1G **23**
Radnor Clo. *H Bay* —6F **13**
Radnor M. *Cant* —6H **33**
Raglan Pl. *Broad* —2H **23**
Railway Av. *Whits* —4G **9**
Railway Ter. *Mgte* —4F **5**
Ralph Grimshaw Ct. *Wgte S*
—5A **4**
Ramsey Clo. *Cant* —1E **33**
Ramsey Ho. *Cant* —3F **37**
(off Station Rd. E.)
Ramsgate Rd. *Broad* —4F **23**
Ramsgate Rd. *Mgte* —4H **5**
Ramsgate Rd. *S'wch & C'snd*
—4C **40**
Rancorn Rd. *Mgte* —4E **5**
Randolph Clo. *Cant* —4G **37**
Randolph Sq. *Mgte* —2H **5**
Ranelagh Gdns. *Broad* —2E **23**

Ranelagh Gro. *Broad* —2E **23**
Ransome Way. *Birch* —1E **19**
Ravensbourne Av. *H Bay*
    —5F **13**
Ravenscourt Rd. *R Comn*
    —5B **32**
Rawdon Rd. *Ram* —3B **30**
Rayham Rd. *Whits* —5A **10**
Raymond Av. *Cant* —4G **37**
Reading St. *Broad* —5F **7**
Reading St. Rd. *Mgte* —4E **7**
Rebecca Ct. *Mgte* —3B **6**
Rectory Ct. *Whits* —3D **10**
Rectory Gdns. *Whits* —3D **10**
Rectory Rd. *Broad* —2H **23**
Reculver Av. *Birch* —5C **2**
Reculver Clo. *H Bay* —2B **14**
Reculver Dri. *H Bay* —2A **14**
Reculver La. *H Bay* —2C **14**
Reculver Rd. *H Bay* —4G **13**
Reculvers Rd. *Wgte S* —6B **4**
Redcot La. *Sturry* —1F **35**
Redgates. *H Bay* —2E **13**
Redgates Dri. *Whits* —3H **9**
Redhill Rd. *Wgte S* —5A **4**
Red Lion La. *Whits* —3F **9**
Redwood Clo. *Cant* —6E **33**
Reed Av. *Cant* —6A **34**
Reeds Clo. *H Bay* —3G **13**
Reeves All. Whits —4F **9**
  (off Middle Wall)
Regency Clo. *Whits* —6G **9**
Regency Pl. *Cant* —6H **33**
Regent St. *Whits* —3F **9**
Regents Wlk. *H Bay* —2H **13**
Remston M. *Cant* —6H **33**
Renault Clo. *H Bay* —1G **11**
Rendezvous, The. *Mgte* —2G **5**
Repton Clo. *Broad* —1F **23**
Reservoir Rd. *Whits* —3G **9**
Retreat, The. *Birch* —5F **3**
Retreat, The. *Ram* —1B **30**
Reynolds Clo. *H Bay* —3F **13**
Rheims Ct. *Cant* —1D **36**
Rheims Way. *Cant* —1D **36**
Rhodaus Clo. *Cant* —3F **37**
Rhodaus Town. *Cant* —3F **37**
Rhodes Gdns. *Broad* —1G **23**
Richard Ct. *Mgte* —3B **6**
Richardson Way. *C'snd*
    —3E **29**
Richborough Bus. Pk. *S'wch*
    —2C **40**
Richborough Rd. *Cant* —1A **40**
Richborough Rd. *Wgte S*
    —6B **4**
Richmond Av. *Mgte* —4B **6**
Richmond Dri. *H Bay* —3A **14**
Richmond Gdns. *Cant* —6C **32**
Richmond Rd. *Ram* —3D **30**
Richmond Rd. *Whits* —4B **10**
Richmond St. *H Bay* —2D **12**
Ridgeway. *Whits* —4B **10**
Ridgeway Cliff. *H Bay* —2A **12**
Ridgeway, The. *Broad* —4F **23**
Ridgeway, The. *Mgte* —4B **6**
Ridings, The. *Cant* —1H **37**
Ridings, The. *Ches* —4D **10**
Ridings, The. *Clift* —2E **7**
Ridley Clo. *H Bay* —6E **13**
Riley Av. *H Bay* —1F **11**

Ringold Av. *Ram* —1A **30**
Ringsloe Ct. *Birch* —5B **2**
  (off Parade, The)
Ringwood Clo. *Cant* —5E **33**
Risdon Clo. *Sturry* —2D **34**
Riverdale Rd. *Cant* —6H **33**
Riverhead Clo. *Mgte* —4B **6**
Rivers Ct. *Min* —4G **27**
Riversdale Rd. *Ram* —6A **22**
Riverside Ct. *Cant* —1F **37**
Riverside Ind. Est. *Cant*
    —5H **33**
River View. *Sturry* —1D **34**
Roberts Rd. *Sea* —1B **24**
Rochester Av. *Cant* —3H **37**
Rochester Ct. *Cant* —4H **37**
Rockingham Pl. *H Bay* —5F **13**
Rockstone Way. *Ram* —6A **22**
Rodney St. *Ram* —3D **30**
Roman Rd. *Ram* —5B **22**
Romily Gdns. *Ram* —5C **22**
Romney Clo. *Birch* —6E **3**
Roper Clo. *Cant* —1E **37**
Roper Rd. *Cant* —1E **37**
Rope Wlk. M. *S'wch* —4B **40**
Roseacre Clo. *Cant* —1E **37**
Roseacre Ct. *Mgte* —3E **7**
Rosebery Av. *H Bay* —2A **14**
Rosebery Av. *Ram* —6F **23**
Rose Cottage. *H Bay* —4H **13**
Rosedale Rd. *Mgte* —4A **6**
Rose Gdns. *Birch* —1D **18**
Rose Gdns. *H Bay* —3G **13**
Rose Gdns. *Min* —3F **27**
Rose Hill. *Ram* —3E **31**
Roselands Gdns. *Cant*
    —6D **32**
Rose La. *Cant* —2F **37**
Roselawn Gdns. *Mgte* —5D **4**
Roselea Av. *H Bay* —4D **12**
Rosemary Av. *Broad* —5F **23**
Rosemary Gdns. *Broad*
    —5F **23**
Rosemary Gdns. *Whits*
    —5A **10**
Rosemary La. *Cant* —2F **37**
Rosetower Ct. *Broad* —5F **7**
Rosiers Ct. *Cant* —1E **37**
Rossetti Rd. *Birch* —5D **2**
Ross Gdns. *R Comn* —5A **32**
Rossland Rd. *Ram* —1A **30**
Rothsay Ct. *Ram* —6F **23**
Rough Comn. Rd. *R Comn*
    —1A **36**
Rowan Clo. *Sturry* —2D **34**
Rowena Rd. *Wgte S* —4A **4**
Rowland Cres. *H Bay* —2A **14**
Rowland Dri. *H Bay* —5A **12**
Rowman Ct. *Broad* —2G **23**
Roxborough Rd. *Wgte S*
    —4B **4**
Royal Av. *Whits* —2E **25**
Royal Clo. *Broad* —3F **23**
Royal Cres. *Mgte* —3F **5**
Royal Cres. *Ram* —4D **30**
Royal Esplanade. *Mgte* —4B **4**
Royal Esplanade. *Ram* —4B **30**
Royal Pde. *Ram* —4E **31**
Royal Rd. *Ram* —3D **30**
Rugby Clo. *Broad* —2F **23**
Rumfields Rd. *Broad* —3C **22**

Runcie Ho. *Cant* —3F **37**
  (off Station Rd. E.)
Runcie Pl. *Cant* —1D **36**
Rushmead Clo. *Cant* —6D **32**
Russell Dri. *Whits* —3D **10**
Russets, The. *Ches* —4D **10**
Russett Rd. *Cant* —3A **38**
Rutland Av. *Mgte* —3B **6**
Rutland Gdns. *Birch* —6D **2**
Rutland Gdns. *Clift* —3C **6**
Rutland Ho. *Cant* —3G **37**
Rutland Rd. *Cant* —3B **38**
Rydal Av. *Ram* —2A **30**
Ryder's Av. *Wgte S* —5H **3**
Ryde St. *Cant* —1E **37**
Rye Wlk. *H Bay* —5G **13**

Sackett's Gap. *Clift* —2C **6**
Sacketts Hill. *Broad* —1B **22**
Saddlers M. *Cant* —4D **10**
Saddleton Gro. *Whits* —5F **9**
Saddleton Rd. *Whits* —5F **9**
Sail Lofts, The. *Whits* —3F **9**
St Alphege Clo. *Whits* —6D **8**
St Alphege La. *Cant* —1F **37**
St Andrews Clo. *Cant* —3E **37**
St Andrew's Clo. *H Bay*
    —3E **13**
St Andrew's Clo. *Mgte* —6H **5**
St Andrew's Clo. *Whits* —6G **9**
St Andrews Lees. *S'wch*
    —5C **40**
St Anne's Ct. *H Bay* —2C **12**
St Anne's Dri. *H Bay* —3B **12**
St Anne's Gdns. *Mgte* —5H **5**
St Anne's Rd. *Whits* —2H **9**
St Anthony's Way. *Mgte*
    —4C **6**
St Augustine's Av. *Mgte*
    —5H **5**
St Augustines Bus. Pk. *Whits*
    —3E **11**
St Augustine's Ct. *Cant*
    —2H **37**
St Augustine's Cres. *Whits*
    —2D **10**
St Augustine's Pk. *Ram*
    —3C **30**
St Augustine's Rd. *Cant*
    —3H **37**
St Augustine's Rd. *Ram*
    —4D **30**
St Bartholomews. *S'wch*
    —5C **40**
St Bart's Rd. *S'wch* —5B **40**
St Benedict's Lawn. *Ram*
    —4D **30**
St Benet's Rd. *Wgte S* —6A **4**
St Catherines Ct. *Ram* —6E **23**
St Catherine's Gro. *Mans*
    —6F **21**
St Christopher Clo. *Mgte*
    —5D **6**
St Christopher's Grn. *Broad*
    —2F **23**
St Clements. *S'wch* —5C **40**
St Clements Ct. *Broad* —2E **23**
St Clement's Ct. *H Bay* —4E **13**
St Clements Rd. *Wgte S*
    —4A **4**

St Crispin's Rd. *Wgte S* —6A **4**
St David's Clo. *Birch* —5F **3**
St David's Clo. *Whits* —6G **9**
St David's Rd. *Ram* —6F **23**
St Dunstans Clo. *Cant* —1E **37**
St Dunstan's Rd. *Mgte* —3A **6**
St Dunstan's St. *Cant* —1E **37**
St Dunstan's Ter. *Cant* —1E **37**
St Edmunds Rd. *Cant* —2F **37**
St Francis Clo. *Mgte* —5D **6**
St George's Av. *H Bay* —3A **12**
St George's Cen. *Cant* —2G **37**
St Georges Clo. *Whits* —6G **9**
St George's La. *Cant* —2F **37**
St George's Lees. *S'wch*
  (in two parts) —5C **40**
St George's Pl. *Cant* —2G **37**
St George's Rd. *Broad* —3G **23**
St George's Rd. *Ram* —1F **31**
St George's Rd. *S'wch* —5C **40**
St George's St. *Cant* —2G **37**
St George's Ter. *Cant* —2G **37**
St George's Ter. *H Bay*
    —2B **12**
St Gregory's Ct. *Cant* —1H **37**
St Gregory's Rd. *Cant* —1H **37**
St Jacob's Pl. *Cant* —4D **36**
St James Av. *Broad* —2E **23**
St Jame's Av. *Ram* —5B **22**
St James Gdns. *Whits* —5F **9**
St James Pk. Rd. *Mgte* —5C **4**
St James's Ter. *Birch* —5F **3**
  (in two parts)
St Jean's Rd. *Wgte S* —6A **4**
St John's Av. *Ram* —6H **21**
St John's Ct. *Cant* —2F **37**
St Johns Cres. *T Hill* —1D **32**
St John's La. *Cant* —2F **37**
St John's Pl. *Cant* —1G **37**
St John's Rd. *Mgte* —3H **5**
St John's Rd. *Whits* —3D **10**
St John's St. *Mgte* —3H **5**
St Julien Av. *Cant* —1B **38**
St Lawrence Av. *Ram* —3B **30**
St Lawrence Clo. *Cant* —4H **37**
St Lawrence Ct. *Cant* —4H **37**
St Lawrence Ct. *Ram* —2B **30**
St Lawrence Forstal. *Cant*
    —4H **37**
St Lawrence Ind. Est. *Ram*
    —1B **30**
St Lawrence Pk. Rd. *Ram*
    —2C **30**
St Lawrence Rd. *Cant* —4H **37**
St Louis Gro. *H Bay* —3A **12**
St Luke's Av. *Ram* —1D **30**
St Luke's Clo. *Wgte S* —5A **4**
St Lukes Clo. *Whits* —6G **9**
St Luke's Rd. *Ram* —1E **31**
St Magnus Clo. *Birch* —5D **2**
St Magnus Ct. *Birch* —5E **3**
St Margarets Clo. *Sea* —1C **24**
St Margaret's Rd. *Wgte S*
    —6A **4**
St Margarets Rd. *Wdchu*
    —4B **20**
St Margaret's St. *Cant* —2F **37**
St Mark's Clo. *Whits* —5G **9**
St Martin's Av. *Cant* —2H **37**
St Martin's Cvn. & Camp Site.
    Cant —2C **38**

St Martin's Clo.—Spires, The

St Martin's Clo. *Cant* —2H **37**
St Martin's Ct. *Cant* —2H **37**
St Martin's Hill. *Cant* —2H **37**
St Martin's Pl. *Cant* —2H **37**
St Martin's Ter. *Cant* —2H **37**
St Martin's View. *H Bay*
—6E **13**
St Mary's Av. *Mgte* —4D **6**
St Mary's Ct. *St Mil* —2E **37**
St Mary's Ga. *S'wch* —4C **40**
St Mary's Gro. *Sea* —1A **24**
St Mary's Rd. *Broad* —3H **23**
St Mary's Rd. *Min* —3F **27**
St Mary's St. *Cant* —2F **37**
St Michaels All. *Ram* —3E **31**
St Michael's Av. *Mgte* —5D **6**
St Michaels Clo. *R Comn*
—1A **36**
St Michael's Pl. *Cant* —6E **33**
St Michael's Rd. *Cant* —5E **33**
(in two parts)
St Mildred's Av. *Birch* —6C **2**
St Mildred's Av. *Broad* —3G **23**
St Mildreds Ct. *Cant* —2E **37**
St Mildred's Ct. Wgte S —4B **4**
(off Beach Rd.)
St Mildred's Gdns. *Wgte S*
—4B **4**
St Mildred's Pl. *Cant* —3E **37**
St Mildred's Rd. *Mgte* —3A **6**
St Mildred's Rd. *Min* —4F **27**
St Mildred's Rd. *Ram* —3C **30**
St Mildred's Rd. *Wgte S*
—4A **4**
St Nicholas Cvn. & Camping
Site. *St N* —5E **17**
St Nicholas Clo. *Sturry*
—1D **34**
St Nicholas Rd. *Cant* —4C **36**
St Patricks Clo. *Whits* —6G **9**
St Paul's Rd. *Clift* —2A **6**
St Paul's Ter. *Cant* —2G **37**
St Peter's Ct. *Broad* —1F **23**
St Peter's Footpath. *Mgte*
—4H **5**
St Peter's Gro. *Cant* —2F **37**
St Peter's La. *Cant* —1F **37**
St Peter's Pk. Rd. *Broad*
—2F **23**
St Peter's Pl. *Cant* —2F **37**
St Peter's Rd. *Broad* —2E **23**
St Peter's Rd. *Mgte* —4H **5**
St Peter's Rd. *Whits* —3F **9**
St Peter's St. *Cant* —1F **37**
St Peter's St. *S'wch* —4C **40**
St Radigund's Pl. *Cant* —1G **37**
St Radigund's St. *Cant* —1F **37**
St Stephen's Clo. *Cant* —6F **33**
St Stephen's Ct. *Cant* —6F **33**
St Stephen's Fields. *Cant*
—1F **37**
St Stephen's Grn. *Cant*
—5F **33**
St Stephen's Hill. *Cant* —3E **33**
St Stephen's Pathway. *Cant*
—6F **33**
St Stephen's Rd. *Cant* —5F **33**
St Stephen's Trad. Est. *Cant*
—6F **33**
St Swithin's Rd. *Whits*
—3B **10**

St Thomas' Hill. *Cant* —5C **32**
St Thomas's Hospital. *S'wch*
—4B **40**
St Vincents Clo. *Whits* —6G **9**
Salisbury Av. *Broad* —4F **23**
Salisbury Av. *Ram* —1F **31**
Salisbury Rd. *Cant* —6E **33**
Salisbury Rd. *H Bay* —2F **13**
Salisbury Rd. *Whits* —5F **9**
Salmestone Rise. *Mgte* —5G **5**
Salmestone Rd. *Mgte* —5G **5**
Saltings, The. *Whits* —3F **9**
Saltmarsh La. *Whits* —4F **9**
Salts Clo. *Whits* —4F **9**
Salts Dri. *Broad* —2E **23**
Saltwood Gdns. *Clift* —3E **7**
Sancroft Av. *Cant* —1C **36**
Sanctuary Clo. *Broad* —5F **23**
Sandhurst Clo. *Cant* —4G **33**
Sandhurst Rd. *Clift* —3F **7**
Sandle's Rd. *Birch* —6D **2**
Sandlewood Dri. *St N* —6F **17**
Sandown Dri. *H Bay* —3B **12**
Sandown Lees. *S'wch* —5C **40**
Sandown Rd. *S'wch* —4C **40**
Sandpiper Ct. Mgte —2G **5**
(off Fort Hill)
Sandpiper Rd. *Whits* —1D **24**
Sandwich By-Pass. *S'wch*
—5A **40**
Sandwich Ind. Est. *S'wch*
—4D **40**
Sandwich Leisure Pk. *S'wch*
—4A **40**
Sandwich Rd. *C'send* —6D **28**
Sandwood Rd. *Ram* —6F **23**
Sandwood Rd. *S'wch* —5B **40**
Sanger Clo. *Mgte* —4G **5**
Sangro Pl. *Cant* —1B **38**
Sarah Gdns. *Mgte* —5D **6**
Saras Ct. *Whits* —5E **9**
Sarre Pl. *S'wch* —5B **40**
Savernake Dri. *H Bay* —5F **13**
Saxon Rd. *Ram* —3B **30**
Saxon Rd. *Wgte S* —4B **4**
Saxon Shore. *Whits* —5E **9**
Sceales Dri. *C'snd* —3F **29**
Sceptre Way. *Whits* —6D **8**
School Clo., The. *Wgte S*
—4A **4**
School La. *Bek* —6G **39**
School La. *Blean* —1A **32**
School La. *F'wch* —4E **35**
School La. *H Bay* —6E **13**
School La. *Ram* —2E **31**
School Rd. *S'wch* —4B **40**
Screaming All. *Ram* —4D **30**
Sea App. *Broad* —3H **23**
Seacroft Rd. *Broad* —6G **23**
Seafield Rd. *Broad* —3F **23**
Seafield Rd. *Ram* —2C **30**
Seafield Rd. *Whits* —2B **10**
Seamark Clo. *Monk* —3A **26**
Seamark Rd. *B'snd* —1B **26**
Seapoint Rd. *Broad* —4H **23**
Sea Rd. *Wgte S* —5F **3**
Seasalter Beach. *Sea* —6C **8**
Seasalter La. *Sea* —3B **24**
Sea St. *H Bay* —2H **11**
Sea St. *Whits* —3F **9**
Sea View Av. *Birch* —5C **2**

Seaview Cvn. & Chalet Pk.
Whits —1E **11**
Seaview Ct. Broad —4H **23**
(off W. Cliff Rd.)
Sea View Heights. Birch —5B **2**
(off Ethelbert Rd.)
Sea View Rd. *Birch* —5C **2**
Sea View Rd. *Broad* —1G **23**
Sea View Rd. *C'snd* —3F **29**
Sea View Rd. *H Bay* —2G **13**
Sea View Sq. *H Bay* —2D **12**
Sea View Ter. *Mgte* —3E **5**
Seaville Dri. *H Bay* —2A **14**
Sea Wall. *Whits* —3F **9**
Seaway Cotts. *Whits* —4E **9**
Second Av. *Broad* —3G **7**
Second Av. *Clift* —2B **6**
Seeshill Clo. *Whits* —5G **9**
Selborne Rd. *Mgte* —4B **6**
Selby Clo. *H Bay* —3G **13**
Selsea Av. *H Bay* —2B **12**
Selwyn Ct. *Broad* —2F **23**
Selwyn Dri. *Broad* —2F **23**
Semaphore Rd. *Birch* —5D **2**
Semple Clo. *Min* —2G **27**
Senlac Clo. *Ram* —3B **30**
Serene Ct. *Broad* —3H **23**
Serene Pl. Broad —3H **23**
(off Serene Ct.)
Setterfield Rd. *Mgte* —4H **5**
Sevastapol Pl. *Cant* —1B **38**
Seven Post All. S'wch —4C **40**
(off St Peter's St.)
Seven Stones Dri. *Broad*
—6G **23**
Sewell Clo. *Birch* —1E **19**
Seymour Av. *Mgte* —4B **4**
Seymour Av. *Whits* —4G **9**
Seymour Clo. *H Bay* —6F **13**
Seymour Pl. *Cant* —3E **37**
Shaftesbury Rd. *Cant* —5E **33**
Shaftesbury Rd. *Whits* —4F **9**
Shaftsbury St. *Ram* —2F **31**
Shah Pl. *Ram* —2D **30**
Shakespeare Pas. *Mgte* —3F **5**
Shakespeare Rd. *Birch* —5D **2**
Shakespeare Rd. *Mgte* —4H **5**
Shalloak Rd. *B Oak* —3B **34**
Shallows Rd. *Broad* —1C **22**
Shamrock Av. *Whits* —6D **8**
Shapland Clo. *H Bay* —4G **13**
Share & Coulter Rd. *Ches*
—4D **10**
Shearwater Av. *Whits* —6E **9**
Sheen Ct. *Mgte* —3G **5**
Shelley Av. *Cant* —6A **34**
Shelley Rd. *Mgte* —1F **21**
Shepherds Ga. *Cant* —1F **37**
Shepherds Wlk. *Ches* —5C **10**
Shepherds Way. *Ches* —5C **10**
Sheppey Clo. *Birch* —6E **3**
Sheppey View. *Whits* —1E **25**
Sherriffs Ct. La. *Ram* —4C **26**
Sherwood Clo. *H Bay* —5G **13**
Sherwood Clo. *Whits* —1E **25**
Sherwood Ct. *Wgte S* —4A **4**
Sherwood Dri. *Whits* —1E **25**
Sherwood Gdns. *Ram* —6E **23**
Sherwood Rd. *Birch* —2D **18**
Shipman Av. *Cant* —2C **36**
Shirley Av. *Ram* —5E **23**

Shore Clo. *H Bay* —2H **11**
Shore Ct. Birch —5B **2**
(off Ethelbert Rd.)
Short St. *S'wch* —4C **40**
Shottendane Rd. *Birch*
—2H **19**
Shrub Hill Rd. *Ches* —6D **10**
Shuart La. *St N* —5F **17**
(in two parts)
Shuttle Rd. *Broad* —2H **23**
Silvanus Ho. Ram —2D **30**
(off High St. Ramsgate,)
Silver Av. *Birch* —1F **19**
Silverdale Rd. *Ram* —4A **30**
Silvers, The. *Broad* —3C **22**
Simmonds Rd. *Win I* —3E **37**
Simon Av. *Clift* —3D **6**
Singer Av. *H Bay* —1H **11**
Singleton Clo. *Min* —3F **27**
Sion Hill. *Ram* —3E **31**
Sion Pas. *Ram* —3E **31**
(off Sion Hill)
Skinners All. Whits —4F **9**
(off King Edward St.)
Slades Clo. *Ches* —5C **10**
Sleigh Rd. *Sturry* —2D **34**
Sloe La. *Broad* —2B **22**
Smith's Hospital Almshouses.
Cant —2H **37**
Smugglers Leap Pk. *Min*
—1G **27**
Smugglers Way. *Birch* —5E **3**
Snake Drove. *Cant* —5F **15**
Snell Gdns. *H Bay* —3H **11**
Sobraon Way. *Cant* —1B **38**
Somerset Clo. *Whits* —6D **8**
Somerset Ct. *Broad* —3F **23**
Somerset Rd. *Cant* —2B **38**
Somme Ct. *Cant* —1B **38**
Somner Clo. *Cant* —1D **36**
Sondes Clo. *H Bay* —5E **13**
Southall Clo. *Min* —2G **27**
S. Canterbury Rd. *Cant*
—4G **37**
South Clo. *Cant* —2G **37**
S. Cliff Pde. *Broad* —6G **23**
S. Eastern Rd. *Ram* —3C **30**
South Lodge. *Whits* —2G **9**
S. Lodge Clo. *Whits* —2G **9**
South Rd. *H Bay* —3E **13**
Southsea Dri. *H Bay* —3B **12**
South St. *Cant* —5A **34**
South St. *Whits* —5A **10**
S. View Rd. *Whits* —1F **25**
Southwold Pl. *Wgte S* —6A **4**
Southwood Gdns. *Ram*
—2B **30**
Southwood Rd. *Ram* —2C **30**
Southwood Rd. *Whits* —3B **10**
Sowell St. *Broad* —2F **23**
Spa Esplanade. *H Bay* —2A **12**
Sparrow Castle. *Mgte* —4H **5**
Speke Rd. *Broad* —1E **23**
Speldhurst Gdns. *Clift* —2F **7**
Spencer Rd. *Birch* —5D **2**
Spencer Sq. *Ram* —3D **30**
Spencer St. *Ram* —3D **30**
Spenser Rd. *H Bay* —3C **12**
Spinney Clo. *Clift* —4E **7**
Spire Av. *Whits* —5H **9**
Spires, The. *Cant* —1F **37**

A-Z Margate, Ramsgate, Canterbury & Whitstable 53

Spratling La. *Ram* —6H **21**
Spratling St. *Mans* —6F **21**
Springfield Clo. *Ram* —5E **23**
Springfield Cotts. *Bek* —4E **39**
Springfield Rd. *Clift* —2E **7**
Spring Gdns. *Cant* —3E **37**
Spring La. *Cant* —2H **37**
Spring La. *F'wch* —4E **35**
Spring Wlk. *Whits* —6E **9**
Square, The. *Birch* —6E **3**
Squeeze Gut All. Whits —3F **9**
  (off Island Wall)
Squire Av. *Cant* —2C **36**
Staffordshire St. *Ram* —2E **31**
Staines Pl. *Broad* —2H **23**
Staines Pl. *Cant* —2F **37**
Stancomb Av. *Ram* —4C **30**
Standard Av. *H Bay* —1G **11**
Staner Ct. *Ram* —1A **30**
Stanley Gdns. *H Bay* —3D **12**
Stanley Pl. *Broad* —3G **23**
Stanley Pl. *Ram* —1E **31**
Stanley Rd. *Broad* —1G **23**
Stanley Rd. *Clift* —2A **6**
Stanley Rd. *H Bay* —3D **12**
Stanley Rd. *Ram* —1D **30**
Stanley Rd. *Whits* —6F **9**
Stanley Sykes Clo. *Mgte*
  —5B **6**
Stanmore Ct. *Cant* —3H **37**
Staplehurst Av. *Broad* —5G **23**
Staplehurst Gdns. *Clift* —2E **7**
Star La. *Mgte* —2A **22**
Starle Clo. *Cant* —1H **37**
Station App. *Bek* —6G **39**
Station App. *Birch* —6D **2**
Station App. *Min* —4G **27**
Station App. Rd. *Ram* —1D **30**
Station Chine. *H Bay* —3C **12**
Station Pde. *Birch* —6D **2**
Station Rd. *Birch* —6E **3**
Station Rd. *H Bay* —3C **12**
Station Rd. *Mgte* —3F **5**
Station Rd. *Min* —4G **27**
Station Rd. *Pat* —6F **39**
Station Rd. *Wgte S* —4A **4**
Station Rd. *Whits* —3G **9**
Station Rd. E. *Cant* —3F **37**
Station Rd. W. *Cant* —1E **37**
Steam Packet Cotts. *Cant*
  —1F **37**
Stephen Clo. *Broad* —3G **23**
Stephen's Clo. *Mgte* —6D **4**
Stephen's Clo. *Ram* —1C **30**
Stephenson Rd. *Cant* —5F **33**
Sterling Clo. *Broad* —2E **23**
Steven Ct. *Ram* —4B **30**
Stirling Way. *Ram* —6H **21**
Stockbury Gdns. *Clift* —3E **7**
Stockwood Chase. *R Comn*
  —6A **32**
Stockwood Hill. *R Comn*
  —6A **32**
Stodmarsh Rd. *Cant & Stod*
  —2C **38**
Stonar Clo. *Ram* —6E **23**
Stonar Clo. *S'wch* —4C **40**
Stonar Gdns. *S'wch* —3C **40**
Stone Barn Av. *Birch* —1E **19**
Stone Cross Lees. *S'wch*
  —6B **40**

Stone Gdns. *Broad* —2H **23**
Stone Ho. *Broad* —6H **7**
Stonehouse M. *Broad* —1H **23**
Stone Rd. *Broad* —2H **23**
Stour Ct. *Cant* —2F **37**
Stour Ct. *S'wch* —4B **40**
Stour Cres. *Cant* —5B **34**
Stour St. *Cant* —2F **37**
Stour View. *Cant* —6G **33**
Stourville *Cant* —2F **37**
Strand St. *S'wch* —3B **40**
Strangers Clo. *Cant* —4C **36**
Strangers La. *Cant* —4C **36**
Strangford Pl. *H Bay* —5F **13**
Strangford Rd. *Whits* —3H **9**
Strasbourg St. *Mgte* —1A **22**
Stream Wlk. *Whits* —3F **9**
  (in three parts)
Streete Ct. *Wgte S* —5B **4**
Streete Ct. Rd. *Wgte S* —5B **4**
Streetfield. *H Bay* —6F **13**
Street, The. *Acol* —4F **19**
Street, The. *Pat* —6F **39**
Street, The. *St N* —5F **17**
Stringer Dri. *Birch* —1E **19**
Strode Pk. Rd. *H Bay* —5E **13**
Stuart Ct. *Cant* —4G **37**
Studds Cotts. *H Bay* —2G **11**
Stuppington Ct. Farm. *Cant*
  —6E **37**
Stuppington La. *Cant* —6E **37**
Sturmer Clo. *Cant* —3A **38**
Sturry Ct. M. *Sturry* —3D **34**
Sturry Hill. *Sturry* —2D **34**
Sturry Rd. *Cant* —6H **33**
Sudbury Pl. *Wgte S* —6A **4**
Suffolk Av. *Wgte S* —6H **3**
Suffolk Rd. *Cant* —3B **38**
Suffolk St. *Whits* —5F **9**
Summer Ct. *Harb* —1C **36**
Summerfield Av. *Whits* —4H **9**
Summerfield Rd. *Clift* —3E **7**
Summer Hill. *Harb* —1C **36**
Summer La. *T Hill* —2E **33**
Summer Rd. *St N* —6E **17**
Sunbeam Av. *H Bay* —1F **11**
Sundew Gro. *Ram* —1E **31**
Sundridge Clo. *Cant* —4G **33**
Sun La. *St N* —5F **17**
Sunningdale Wlk. *H Bay*
  —6B **12**
Sunnyhill Rd. *H Bay* —4A **12**
Sunnymead. *T Hill* —1D **32**
Sunnyside Cotts. *Sturry*
  —3D **34**
Sunnyside Gdns. *S'wch*
  —5A **40**
Sunray Av. *Whits* —6D **8**
Sunset Clo. *Whits* —1E **25**
Sun St. *Cant* —2F **37**
Surrey Gdns. *Birch* —6D **2**
Surrey Rd. *Cant* —3B **38**
Surrey Rd. *Clift* —2B **6**
Sussex Av. *Cant* —3A **38**
Sussex Av. *Mgte* —4H **5**
Sussex Clo. *H Bay* —2H **11**
Sussex Gdns. *Birch* —6D **2**
Sussex Gdns. *H Bay* —1H **11**
Sussex Gdns. *Wgte S* —4B **4**
Sussex St. *Ram* —2E **31**
Sussex Wlk. *Cant* —3B **38**

Sutherland Dri. *Birch* —6F **3**
Swakeley Wlk. *Whits* —2D **10**
Swalecliffe Av. *H Bay* —1H **11**
Swalecliffe Ct. Dri. *Whits*
  —3D **10**
Swalecliffe Rd. *Whits* —3B **10**
Swale Clo. *H Bay* —4E **13**
Swallow Av. *Whits* —1D **24**
Swallow Clo. *Mgte* —5E **5**
Swanfield Rd. *Whits* —5F **9**
Swanton La. *Sturry* —1G **39**
Sweechbridge Rd. *H Bay*
  —4B **14**
Sweechgate. *B Oak* —1B **34**
Sweyn Rd. *Clift* —2A **6**
Swinburne Av. *Broad* —4G **23**
Swinford Gdns. *Mgte* —5C **6**
Sycamore Clo. *Broad* —3C **22**
Sycamore Clo. *H Bay* —2G **13**
Sycamore Clo. *Mgte* —6G **5**
Sydenham St. *Whits* —3F **9**
Sydney Cooper Clo. *R Comn*
  —6B **32**
Sydney Rd. *Ram* —1F **31**
Sydney Rd. *Whits* —5G **9**
Syndale Pl. *Ram* —2F **31**

Taddy Gdns. *Mgte* —5C **6**
Talavera Rd. *Cant* —2A **38**
Talbot Av. *H Bay* —2H **11**
Talbot Rd. *Mgte* —3B **6**
Tankerton Cir. *Whits* —2H **9**
Tankerton Ct. *Whits* —2A **10**
Tankerton M. *Whits* —2G **9**
Tankerton Rd. *Whits* —2G **9**
Tassell's Wlk. *Whits* —2D **10**
Tavistock Rd. *Ram* —6E **23**
Taylor Rd. *Min* —3F **27**
Teddington Clo. *Cant* —6H **33**
Telegraph Hill Ind. Est. *Ram*
  —1H **27**
Telford Ct. *H Bay* —5A **12**
Telford M. *H Bay* —2C **12**
  (off Telford St.)
Telford St. *H Bay* —2C **12**
Telham Av. *Ram* —1B **30**
Temple Ct. *Cant* —1D **36**
Temple M. Cant —2F **37**
  (off Stour St.)
Temple Rd. *Cant* —1D **36**
Tennyson Av. *Cant* —5B **34**
Ten Perch Rd. *Win* —4D **36**
Tenterden Dri. *Cant* —4F **33**
Tenterden Way. *Mgte* —4C **6**
Terminus Dri. *H Bay* —2H **13**
Terrace, The. *Cant* —5F **33**
Terry's La. *Whits* —3F **9**
Teynham Clo. *Clift* —3F **7**
Teynham Dri. *Whits* —3H **9**
Teynham Rd. *Whits* —3H **9**
Thanet Clo. *Broad* —2H **23**
Thanet Pl. *Broad* —1H **23**
Thanet Pl. Gdns. *Broad*
  —1H **23**
Thanet Rd. *Broad* —3C **23**
Thanet Rd. *Mgte* —3H **5**
Thanet Rd. *Ram* —2F **31**
Thanet Rd. *Wgte S* —4H **3**
Thanet Way. *Dar* —6A **24**
Thanet Way. *H Bay* —3F **11**

Thanet Way. *St N* —3H **15**
Thanet Way. *Whits* —3C **24**
Thanet Way Retail Pk. *Ches*
  —4C **10**
Thanington Ct. *Cant* —4C **36**
Thanington Rd. *Cant* —4C **36**
Third Av. *Clift* —2B **6**
Thirlmere Av. *Ram* —2A **30**
Thornden Clo. *H Bay* —3G **11**
Thornden Ct. *Cant* —4C **32**
Thornden Wood Rd. *H Bay*
  —6G **11**
Thorne Rd. *Min* —3F **27**
Thorn Gdns. *Ram* —6E **23**
Thorn Hill. *Ram* —2B **28**
Thornhurst. *H Bay* —3H **13**
Three Kings Yd. *S'wch* —4C **40**
Throwley Dri. *H Bay* —3A **12**
Thrupp Paddock. *Broad* —4G **7**
Thundersland Rd. *H Bay*
  (in two parts) —4F **13**
Thurlow Av. *H Bay* —2G **13**
Thurston Pk. *Whits* —4G **9**
Tile Kiln Hill. *Blean* —3B **32**
Tina Gdns. *Broad* —1G **23**
Tippledore La. *Broad* —2E **23**
Tivoli Brooks. *Mgte* —4G **5**
Tivoli Pk. Av. *Mgte* —4F **5**
Tivoli Rd. *Mgte* —5G **5**
Tollemache Clo. *Mans* —5B **20**
Tollgate Clo. *Whits* —5E **9**
Tomlin Gdns. *Mgte* —6C **6**
Tomson's Pas. *Ram* —2D **30**
Tonford La. *Harb* —3A **36**
  (in two parts)
Tourtel Rd. *Cant* —1G **37**
Tower Bungalows. *Birch*
  —5E **3**
Tower Hill. *Whits* —2G **9**
Tower Pde. *Whits* —2G **9**
Tower Rd. *Whits* —3G **9**
Tower Way. *Cant* —2F **37**
Townley St. *Ram* —3D **30**
Trafalgar Rd. *Wdchu* —4B **20**
Trinity Ct. *Mgte* —2H **5**
Trinity Hill. *Mgte* —2H **5**
Trinity Pl. *Ram* —2F **31**
Trinity Sq. *Broad* —6F **7**
Trinity Sq. *Mgte* —2H **5**
Trotwood Pl. Broad —3H **23**
  (off John St.)
Troughton M. *Mgte* —4F **5**
Trove Ct. Ram —2F **31**
  (off Newcastle Hill)
Trueman Clo. *Blean* —1A **32**
Truro Rd. *Ram* —2F **31**
Tudor Clo. *Birch* —5F **3**
Tudor Ct. *Cant* —4C **32**
Tudor Ct. *Whits* —2A **10**
Tudor Rd. *Cant* —3E **37**
Tunis Ct. *Cant* —1B **38**
Tunis Rd. *Broad* —2H **23**
Tunstall Rd. *Cant* —4G **33**
Turnagain La. *Cant* —2F **37**
Turnden Gdns. *Clift* —3E **7**
Turner Ct. *Mgte* —3A **6**
Turner St. *Ram* —3E **31**
Turnstones Ct. Wgte S —4H **3**
  (off Westgate Bay Av.)
Two Chimneys Cvn. Pk. *Birch*
  —2H **19**

Twyne Clo. *Sturry* —2E **35**
Tydemans Av. *Ches* —4C **10**
Tyler Clo. *Cant* —5F **33**
Tyler Hill Rd. *Blean & T Hill* —2A **32**
Tyler Way. *Whits* —2E **11**
Tyler Way Ind. Est. *Whits* —2E **11**
Tyndale Pk. *H Bay* —3F **13**
Tyson Av. *Mgte* —4C **4**

Ulcombe Gdns. *Cant* —5G **33**
Ulster Rd. *Mgte* —5H **5**
Underdown La. *H Bay* —4D **12**
Underdown Pas. *Cant* —3E **37**
Underground Rd. *H Bay* —3D **12**
Underwood Clo. *Cant* —5G **37**
Union Cres. *Mgte* —3H **5**
Union Pl. *Cant* —1G **37**
Union Rd. *Ram* —1F **31**
Union Row. *Mgte* —3H **5**
Union Sq. *Broad* —3H **23**
Union St. *Cant* —1G **37**
Union St. *Ram* —2E **31**
Unity Pl. *Ram* —2F **31**
University Rd. *Cant* —5D **32**
Uplands. *Cant* —4F **33**
Up. Approach Rd. *Broad* —4G **23**
Up. Bridge St. *Cant* —2G **37**
Up. Chantry Ct. *Cant* —3G **37**
Up. Chantry La. *Cant* —3G **37**
Up. Dane Rd. *Mgte* —4A **6**
Up. Dumpton Pk. *Ram* —1E **31**
Up. Free Down. *H Bay* —5E **13**
Up. Grounds. *Cant* —5C **14**
Upper Gro. *Mgte* —3H **5**
Upper Hale. *Birch* —3A **18**
Up. Strand St. *S'wch* —4C **40**
Upton Rd. *Broad* —2F **23**
Ursuline Dri. *Wgte S* —6H **3**

Vale Pl. *Ram* —3D **30**
Vale Rd. *Broad* —3F **23**
Vale Rd. *Ram* —3C **30**
Vale Rd. *Whits* —5F **9**
Vale Sq. *Ram* —3D **30**
Vale, The. *Broad* —3F **23**
Valkyrie Av. *Whits* —6D **8**
Valley Rd. *Cant* —4E **37**
Valley Rd. *Mgte* —2F **21**
Vauxhall Av. *Cant* —5A **34**
Vauxhall Av. *H Bay* —2G **11**
Vauxhall Cres. *Cant* —5A **34**
Vauxhall Ind. Est. *Cant* —4A **34**
Vauxhall Ind. Est. *Cant* —4B **34**
Vauxhall Rd. *Cant* —4A **34**
Ventnor La. *Mgte* —3H **5**
Vere Rd. *Broad* —3G **23**
Vereth Rd. *Ram* —3D **30**
Vernon Pl. *Cant* —3G **37**
Verwood Clo. *Cant* —6E **33**
Vestey Ct. *Wgte S* —4A **4**
Viaduct Clo. *Ram* —1C **30**
Vicarage Cres. *Mgte* —4H **5**
Vicarage Garden. *Monk* —2A **26**

Vicarage La. *Blean* —2A **32**
Vicarage La. *S'wch* —4B **40**
Vicarage Pl. *Mgte* —4H **5**
Vicarage St. *Broad* —2D **22**
Victor Av. *Clift* —3D **6**
Victoria Av. *Broad* —5E **7**
Victoria Av. *Cant* —2E **37**
Victoria Av. *Mgte* —4B **6**
Victoria Av. *Wgte S* —6B **4**
Victoria Dri. *H Bay* —2A **12**
Victoria Pde. *Broad* —4H **23**
Victoria Pde. *Ram* —2F **31**
Victoria Pk. *H Bay* —2D **12**
Victoria Rd. *Broad* —1E **23**
Victoria Rd. *Cant* —3E **37**
Victoria Rd. *Flete* —2F **21**
Victoria Rd. *Mgte* —4H **5**
Victoria Rd. *Ram* —2F **31**
Victoria Row. *Cant* —1G **37**
Victoria St. *Whits* —3F **9**
Viking Clo. *Birch* —5B **2**
Viking Ct. *Broad* —4H **23**
Viking Ct. *Mgte* —3A **6**
Villiers Ho. *Broad* —6H **7**
Villiers Rd. *Cant* —1B **38**
Vincent Clo. *Broad* —4C **22**
Vincent Rd. *Mgte* —3E.**21**
Vine Clo. *Ram* —5E **23**
Violet Av. *Ram* —5C **22**
Virginia Rd. *Whits* —5A **10**
Vulcan Clo. *Whits* —6E **9**

Wacher Clo. *Cant* —6F **33**
Waldron Rd. *Broad* —5H **23**
Walker Way. *Birch* —5B **2**
Wallace Way. *Broad* —3E **23**
Wallwood Rd. *Ram* —1F **31**
Walmer Gdns. *Ram* —4F **29**
Walmer Rd. *Whits* —5G **9**
Walmsley Rd. *Broad* —2F **23**
Walnut Tree Clo. *Birch* —6E **3**
Walnut Tree La. *W'bre* —1H **35**
Walpole Rd. *Mgte* —2H **5**
Waltham Clo. *Clift* —3E **7**
Wansum Ct. *St N* —5F **17**
Wantsum Clo. *H Bay* —2B **14**
Wantsume Lees. *S'wch* —3A **40**
Wantsum M. *S'wch* —4B **40**
Wantsum Way. *St N* —5E **17**
Wardour Clo. *Broad* —3H **23**
Warre Av. *Ram* —4C **30**
Warren Dri. *Broad* —2E **23**
Warren Dri., The. *Wgte S* —6H **3**
Warren, The. *Whits* —1E **25**
Warten Rd. *Ram* —6F **23**
Warwick Dri. *Ram* —4B **30**
Warwick Rd. *Cant* —2A **38**
Warwick Rd. *Clift* —3B **6**
Warwick Rd. *Whits* —3F **9**
Watchester Av. *Ram* —4C **30**
Watchester La. *Min* —4F **27**
Water La. *Cant* —2F **37**
Water La. *Sturry* —3D **34**
Waterloo Pl. *Ram* —2F **31**
Waterloo Rd. *Whits* —3F **9**
Watermeadows. *F'wch* —4D **34**
Waterside Dri. *Wgte S* —4B **4**

Waterways Cvn. Pk. *H Bay* —1F **15**
Watling St. *Cant* —2F **37**
Wauchope Rd. *Sea* —1B **24**
Wave Crest. *Whits* —4E **9**
Waverley Rd. *Mgte* —4D **4**
Wayborough Hill. *Min* —2H **27**
Wayfares. *S'wch* —6B **40**
Way Hill. *Min* —3H **27**
Wayne Clo. *Broad* —2E **23**
Wayside Cvn. Pk. *Ram* —3A **28**
Wealdhurst Pk. *St Pet* —2D **22**
Weatherly Dri. *Broad* —5F **23**
Weigall Pl. *Ram* —2C **30**
Weighbridge Cotts. *Cant* —1F **37**
Well Clo. *Sturry* —2E **35**
Wellesley Clo. *Broad* —4F **23**
Wellesley Clo. *Wgte S* —6A **4**
Wellesley Rd. *Mgte* —4B **6**
Wellesley Rd. *Wgte S* —6A **4**
Wellesley Ter. *S'wch* —5C **40**
Wellington Clo. *Wgte S* —4A **4**
Wellington Cres. *Ram* —3F **31**
Wellington Gdns. *Mgte* —2H **5**
Wellington Rd. *Mgte* —3F **21**
Wellington Rd. *Wgte S* —6A **4**
Wellington St. *Whits* —2F **25**
Wellis Gdns. *Mgte* —4E **5**
Well La. *Cant* —5E **35**
Wells Av. *Cant* —3H **37**
Welsdene Rd. *Mgte* —5D **4**
Wemyss Way. *Cant* —1A **38**
Wentworth Av. *Mgte* —4C **4**
Wentworth Dri. *Ram* —6A **22**
Wentworth Gdns. *H Bay* —5B **12**
West Beach. *Whits* —4E **9**
W. Beach Cvn. Pk. *Whits* —5D **8**
Westbere La. *W'bre* —2F **35**
Westbrook Av. *Mgte* —4B **4**
Westbrook Cotts. *Mgte* —4E **5**
Westbrook Gdns. *Mgte* —4E **5**
Westbrook Ind. Est. *H Bay* —2H **11**
Westbrook La. *H Bay* —2H **11**
Westbrook Promenade. *Mgte* —4C.**4**
Westbrook Rd. *Mgte* —3E **5**
Westbury Rd. *Wgte S* —5A **4**
West Cliff. *Whits* —5E **9**
W. Cliff Arc. *Ram* —3E **31**
W. Cliff Av. *Broad* —4H **23**
W. Cliff Ct. *Broad* —4G **23**
(off W. Cliff Rd.)
W. Cliff Dri. *H Bay* —1H **11**
W. Cliff Gdns. *H Bay* —1H **11**
Westcliff Gdns. *Mgte* —4D **4**
W. Cliff Mans. *Ram* —3E **31**
(off Cliff St.)
W. Cliff M. *Broad* —4H **23**
(off W. Cliff Rd.)
W. Cliff Promenade. *Broad* —5H **23**
W. Cliff Promenade. *Ram* —4D **30**
W. Cliff Rd. *Broad* —4G **23**
Westcliff Rd. *Mgte* —4E **5**
W. Cliff Rd. *Ram* —3D **30**

W. Cliff Ter. *Ram* —4B **30**
Westcliff Ter. Mans. *Ram* —4B **30**
W. Dumpton La. *Ram* —5E **23**
Westerham Clo. *Cant* —4G **33**
Westerham Clo. *Clift* —4F **7**
Western Av. *H Bay* —3B **12**
Western Esplanade *Broad* —5H **23**
Western Esplanade. *H Bay* —2A **12**
Western Rd. *Mgte* —5C **6**
Western Undercliff. *Ram* —4B **30**
Westfield. *Blean* —2A **32**
W. Field Clo. *H Bay* —5A **12**
Westfield Cotts. *F'wch* —4D **34**
Westfield Rd. *Birch* —6D **2**
Westfield Rd. *Mgte* —5D **4**
Westgate Av. *Wdchu* —3C **20**
Westgate Bay Av. *Wgte S* —4H **3**
Westgate Clo. *Cant* —1C **36**
Westgate Ct. Av. *Cant* —1C **36**
Westgate Garden Flats. *Cant* —2E **37**
Westgate Gro. *Cant* —1F **37**
Westgate Hall Rd. *Cant* —1F **37**
Westgate Ter. *Whits* —3G **9**
W. Hill Rd. *H Bay* —2A **12**
Westlands Rd. *H Bay* —4A **12**
Westleigh Rd. *Wgte S* —5H **3**
Westmarsh Dri. *Mgte* —3E **7**
Westmeads Rd. *Whits* —3G **9**
Westminster Rd. *Cant* —4A **34**
Westminster Wlk. *Ram* —6C **22**
Westonville Av. *Mgte* —4D **4**
Westover Gdns. *Broad* —6E **7**
Westover Rd. *Broad* —6E **7**
W. Park Av. *Mgte* —4D **6**
West Pl. *Cant* —1E **37**
West Rise. *Ram* —6B **22**
Westwood Ind. Est. *Mgte* —1A **22**
Westwood Retail Pk. *Broad* —2B **22**
Westwood Rd. *Broad* —3B **22**
Weyburn Dri. *Ram* —6A **22**
Wharfedale Rd. *Mgte* —4A **6**
Whatmer Clo. *Sturry* —2E **35**
Wheatley Rd. *Ram* —6C **22**
Wheatley Rd. *Whits* —3G **9**
Whinfell Av. *Ram* —2H **29**
Whitefriars Meadow. *S'wch* —5B **40**
Whitefriars Shop. Cen. *Cant* —2F **37**
Whitefriars Way. *S'wch* —4B **40**
Whitehall Bri. Rd. *Cant* —1E **37**
Whitehall Clo. *Cant* —2E **37**
Whitehall Gdns. *Cant* —1E **37**
Whitehall Rd. *Cant* —3C **36**
(in two parts)
Whitehall Rd. *Ram* —1B **30**
White Hart Mans. *Mgte* —2G **5**
(off Parade, The)
White Horse La. *Cant* —2F **37**
Whitemarsh Ct. *Whits* —3G **9**

Whiteness Grn. *Broad* —4F **7**
Whiteness Rd. *Broad* —4G **7**
Whitfield Av. *Broad* —6E **7**
Whitgift Ct. *Cant* —1D **36**
Whitstable Rd. *Blean* —4B **32**
Whitstable Rd. *Cant* —6D **32**
Whitstable Rd. *H Bay* —2F **11**
Whytecliffs. *Broad* —5G **23**
Wichling Clo. *Cant* —5G **33**
Wickham Av. *Ram* —1G **31**
Wife of Bath Hill. *Cant* —2C **36**
Wigwam Paddocks. *Birch*
—5E **3**
Wilbrough Rd. *Birch* —6E **3**
Wilderness Hill. *Mgte* —3A **6**
Wildwood Rd. *Sturry* —2D **34**
Wilfred Rd. *Ram* —2C **30**
Wilkes Rd. *Broad* —4E **23**
Wilkie Rd. *Birch* —5E **3**
Willetts Hill. *Monk* —2B **26**
William Av. *Mgte* —5C **6**
William St. *H Bay* —3D **12**
William St. *Whits* —3F **9**
Willoughby Ct. *Cant* —2F **37**
Willow Av. *Broad* —3D **22**
Willow Clo. *Cant* —6G **33**
Willow Clo. *Mgte* —3C **6**
Willow Ct. *Broad* —2F **23**
Willow Rd. *Whits* —2E **25**
Willows Ct. *Cant* —4C **32**
Willow Tree Clo. *H Bay*
—2H **13**
Willow Way. *Ches* —5C **10**

Willow Way. *Mgte* —5E **5**
Willson's Rd. *Ram* —3C **30**
Wilton Rd. *Ram* —6H **21**
Wimborne Pl. *Ram* —1B **30**
Wincheap. *Cant* —4D **36**
Wincheap Grn. *Cant* —3F **37**
Wincheap Ind. Est. *Cant*
—3D **36**
Winchester Gdns. *Cant*
—4G **37**
Windermere Av. *Ram* —2H **29**
Windmill Av. *Ram* —4B **22**
Windmill Clo. *Cant* —2A **38**
Windmill Clo. *H Bay* —5E **13**
Windmill Ct. *Whits* —6E **9**
Windmill Rd. *Cant* —2A **38**
Windmill Rd. *H Bay* —5E **13**
Windmill Rd. *Whits* —6F **9**
Windmill View. *Mgte* —5A **6**
Windmill Wlk. *Ram* —6B **22**
Windsor Av. *Mgte* —4B **6**
Windsor Clo. *Broad* —2E **23**
Windsor Ct. *Mgte* —4B **6**
Windsor Gdns. *H Bay* —2H **11**
Windsor Ho. *Whits* —4F **9**
Windsor Rd. *Cant* —4C **36**
Windsor Rd. *C'snd* —2F **29**
Wingate Hill. *Harb* —1A **36**
Wings Clo. *Broad* —2H **23**
Winifred Av. *Ram* —5C **22**
Winkle Clo. *H Bay* —2H **11**
Winstanley Cres. *Ram* —1D **30**
Winston Clo. *Cant* —3A **38**

Winston Ct. *Birch* —5E **3**
Winston Gdns. *H Bay* —3H **13**
Winterstoke Cres. *Ram*
—1G **31**
Winterstoke Undercliff. *Ram*
—2G **31**
Winterstoke Way. *Ram* —1F **31**
Wolseley Av. *H Bay* —1G **11**
Woodchurch Rd. *Wdchu*
(in two parts) —4B **20**
Woodcote *Ches* —4D **10**
Woodford Av. *Ram* —6D **22**
Woodford Ct. *Birch* —6E **3**
Wood Hill. *T Hill* —2E **33**
Woodland Av. *Birch* —1F **19**
Woodland Rd. *H Bay* —3H **11**
Woodland Way. *Broad* —4G **7**
Woodland Way. *Cant* —4D **32**
Woodlawn St. *Whits* —3F **9**
Woodman Av. *Whits* —3D **10**
Woodnesborough Rd. *S'wch*
—6A **40**
Woodrow Chase. *H Bay*
—6E **13**
Woodside Rd. *Sturry* —1D **34**
Woodvale Av. *Ches* —5C **10**
Woodville Clo. *Cant* —4D **36**
Woodville Rd. *Ram* —6C **22**
Woollets Clo. *H Bay* —4A **12**
Worcester La. *Cant* —3C **38**
Worthgate Pl. *Cant* —3F **37**
Wraik Hill. *York* —3D **24**
(in two parts)

Wrentham Av. *H Bay* —3H **11**
Wrotham Av. *Broad* —3H **23**
Wrotham Cres. *Broad* —4G **23**
Wrotham Rd. *Broad* —4H **23**
Wye Gdns. *Clift* —3F **7**
Wyndham Av. *Mgte* —3B **6**
Wynn Ellis Ho. *Whits* —2G **9**
(off Tower Pde.)
Wynn Rd. *Whits* —2A **10**

Yardhurst Gdns. *Clift* —2F **7**
Yardley Ho. *Broad* —6H **7**
Yarrow Clo. *Broad* —4G **23**
Yew Tree Clo. *Broad* —3D **22**
Yew Tree Gdns. *Birch* —6E **3**
Yew Tree Gdns. *F'wch*
—4E **35**
Yoakley Sq. *Mgte* —5H **5**
York Av. *Broad* —3H **23**
York Clo. *H Bay* —3B **12**
York Rd. *Cant* —3E **37**
York Rd. *H Bay* —2B **12**
York St. *Broad* —3H **23**
York St. *Ram* —3E **31**
York Ter. *Birch* —6F **3**
York Ter. *Ram* —3E **31**
(off W. Cliff Arc.)
Ypres Ct. *Cant* —1B **38**

Zealand Rd. *Cant* —4F **37**
Zion Pl. *Mgte* —2H **5**